DATE DUE

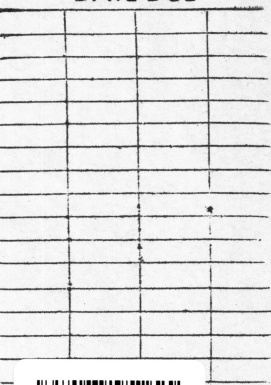

D1248648

OTRAS OBRAS DEL AUTOR
EN ESTA COLECCION:

Deshoras

ALFAGUARA
LITERATURAS

Julio
Cortázar
Deshoras

ALFAGUARA
LITERATURAS

JULIO CORTAZAR, 1982
DE ESTA EDICION:

ALFAGUARA

1983, EDICIONES ALFAGUARA, S. A.
1987, ALTEA, TAURUS, ALFAGUARA, S. A.
1993, SANTILLANA, S. A.

JUAN BRAVO, 38
28006 MADRID
TELEFONO (91) 322 47 00
TELEFAX   (91) 322 47 71

• Aguilar, Altea, Taurus, Alfaguara S. A.
Beazley 3860. 1437 Buenos Aires
• Aguilar Mexicana de Ediciones S. A.
Avda. Universidad, 767. 03100 México DF

I.S.B.N.: 84-204-2146-4
DEPOSITO LEGAL: M. 11.614-1993

© ILUSTRACION DE LA CUBIERTA:
JUAN RAMON ALONSO

PRIMERA EDICION: ABRIL 1983
SEGUNDA EDICION: MAYO 1983
TERCERA EDICION: DICIEMBRE 1983
CUARTA EDICION: ABRIL 1987
QUINTA EDICION: MAYO 1993

INDICE

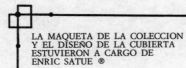

LA MAQUETA DE LA COLECCION
Y EL DISEÑO DE LA CUBIERTA
ESTUVIERON A CARGO DE
ENRIC SATUE ®

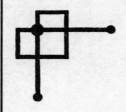

Deshoras

Botella al mar

Epílogo a un cuento

Berkeley, California, 29 de septiembre de 1980.

Querida Glenda, esta carta no le será enviada por las vías ordinarias porque nada entre nosotros puede ser enviado así, entrar en los ritos sociales de los sobres y el correo. Será más bien como si la pusiera en una botella y la dejara caer a las aguas de la bahía de San Francisco en cuyo borde se alza la casa desde donde le escribo; como si la atara al cuello de una de las gaviotas que pasan como latigazos de sombra frente a mi ventana y oscurecen por un instante el teclado de esta máquina. Pero una carta de todos modos dirigida a usted, a Glenda Jackson en alguna parte del mundo que probablemente seguirá siendo Londres; como muchas cartas, como muchos relatos, también hay mensajes que son botellas al mar y entran en esos lentos, prodigiosos *sea-changes* que Shakespeare cinceló en *La tempestad* y que amigos inconsolables inscribirían tanto tiempo después en la lápida bajo la cual duerme el corazón de Percy Bysshe Shelley en el cementerio de Cayo Sextio, en Roma.

Es así, pienso, que se operan las comunicaciones profundas, lentas botellas errando en lentos mares, tal como lentamente se abrirá camino esta carta que la busca a usted con su verdadero nombre,

no ya la Glenda Garson que también era usted pero
que el pudor y el cariño cambiaron sin cambiarla,
exactamente como usted cambia sin cambiar de una
película a otra. Le escribo a esa mujer que respira
bajo tantas máscaras, incluso la que yo le inventé
para no ofenderla, y le escribo porque también usted
se ha comunicado ahora conmigo debajo de mis máscaras de escritor; por eso nos hemos ganado el derecho de hablarnos así, ahora que sin la más mínima
posibilidad imaginable acaba de llegarme su respuesta,
su propia botella al mar rompiéndose en las rocas de
esta bahía para llenarme de una delicia en la que por
debajo late algo como el miedo, un miedo que no
acalla la delicia, que la vuelve pánica, la sitúa fuera
de toda carne y de todo tiempo como usted y yo sin
duda lo hemos querido cada uno a su manera.

   No es fácil escribirle esto porque usted no
sabe nada de Glenda Garson, pero a la vez las cosas
ocurren como si yo tuviera que explicarle inútilmente
algo que de algún modo es la razón de su respuesta;
todo ocurre como en planos diferentes, en una dupli-
cación que vuelve absurdo cualquier procedimiento
ordinario de contacto; estamos escribiendo o actuan-
do para terceros, no para nosotros, y por eso esta
carta toma la forma de un texto que será leído por
terceros y acaso jamás por usted, o tal vez por usted
pero sólo en algún lejano día, de la misma manera
que su respuesta ya ha sido conocida por terceros
mientras que yo acabo de recibirla hace apenas tres días
y por un mero azar de viaje. Creo que si las cosas
ocurren así, de nada serviría intentar un contacto directo; creo que la única posibilidad de decirle esto
es dirigiéndolo una vez más a quienes van a leerlo
como literatura, un relato dentro de otro, una coda a
algo que parecía destinado a terminar con ese perfecto cierre definitivo que para mí deben tener los

buenos relatos. Y si rompo la norma, si a mi manera le estoy escribiendo este mensaje, usted que acaso no lo leerá jamás es la que me está obligando, la que tal vez me está pidiendo que se lo escriba.

Conozca, entonces, lo que no podía conocer y sin embargo conoce. Hace exactamente dos semanas que Guillermo Schavelzon, mi editor en México, me entregó los primeros ejemplares de un libro de cuentos que escribí a lo largo de estos últimos tiempos y que lleva el título de uno de ellos, *Queremos tanto a Glenda*. Cuentos en español, por supuesto, y que sólo serán traducidos a otras lenguas en los años próximos, cuentos que esta semana empiezan apenas a circular en México y que usted no ha podido leer en Londres, donde por lo demás casi no se me lee y mucho menos en español. Tengo que hablarle de uno de ellos sintiendo al mismo tiempo, y en eso reside el ambiguo horror que anda por todo esto, lo inútil de hacerlo porque usted, de una manera que sólo el relato mismo puede insinuar, lo conoce ya; contra todas las razones, contra la razón misma, la respuesta que acabo de recibir me lo prueba y me obliga a hacer lo que estoy haciendo frente al absurdo, si esto es absurdo, Glenda, y yo creo que no lo es aunque ni usted ni yo podamos saber lo que es.

Usted recordará entonces, aunque no puede recordar algo que nunca ha leído, algo cuyas páginas tienen todavía la humedad de la tinta de imprenta, que en ese relato se habla de un grupo de amigos de Buenos Aires que comparten desde una furtiva fraternidad de club el cariño y la admiración que sienten por usted, por esa actriz que el relato llama Glenda Garson pero cuya carrera teatral y cinematográfica está indicada con la claridad suficiente para que cualquiera que lo merezca pueda reconocerla. El relato es muy simple: los amigos quieren tanto a Glenda que no pueden tolerar el escándalo de que algunas de sus películas estén por debajo de la perfección que todo gran amor postula y necesita, y que la mediocridad de ciertos directores enturbie lo que sin duda usted había buscado mientras los filmaba. Como toda narración que propone una catarsis, que culmina en un sacrificio lustral, éste se permite transgredir la verosimilitud en busca de una verdad más honda y más última; así el club hace lo necesario para apropiarse de las copias de las películas menos perfectas, y las modifica allí donde una mera supresión o un cambio apenas perceptible en el montaje repararán las imperdonables torpezas originales. Supongo que usted, como ellos, no se preocupa por las despreciables imposibilidades prácticas de una operación que el relato describe sin detalles farragosos; simplemente la fidelidad y el dinero hacen lo suyo, y un día el club puede dar por terminada la tarea y entrar en el séptimo día de la felicidad. Sobre todo de la felicidad porque en ese momento usted anuncia su retiro del teatro y del cine, clausurando y perfeccionando sin saberlo una labor que la reiteración y el tiempo hubieran terminado por mancillar.

Sin saberlo... Ah, yo soy el autor del cuento, Glenda, pero ahora ya no puedo afirmar lo que me parecía tan claro al escribirlo. Ahora me ha llegado su respuesta, y algo que nada tiene que ver con la razón me obliga a reconocer que el retiro de Glenda Garson tenía algo de extraño, casi de forzado, así al término justo de la tarea del ignoto ·y lejano club. Pero sigo contándole el cuento aunque ahora su final me parezca horrible puesto que tengo que contárselo a usted, y es imposible no hacerlo puesto que está en el cuento, puesto que todos lo están sabiendo en México desde hace diez días y sobre todo porque usted también lo sabe. Simplemente, un año más tarde Glenda Garson decide retornar al cine, y los amigos del club leen la noticia con la abrumadora certidumbre de que ya no les será posible repetir un proceso que sienten clausurado, definitivo. Sólo les queda una manera de defender la perfección, el ápice de la dicha tan duramente alcanzada: Glenda Garson no alcanzará a filmar la película anunciada, el club hará lo necesario y para siempre.

Todo esto, usted lo ve, es un cuento dentro de un libro, con algunos ribetes de fantástico o de insólito, y coincide con la atmósfera de los otros relatos de ese volumen que mi editor me entregó la víspera de mi partida de México. Que el libro lleve ese título se debe simplemente a que ninguno de los otros cuentos tenía para mí esa resonancia un poco nostálgica y enamorada que su nombre y su imagen despiertan en mi vida desde que una tarde, en el Aldwych Theater de Londres, la vi fustigar con el sedoso látigo de sus cabellos el torso desnudo del marqués de Sade; imposible saber, cuando elegí ese título para el libro, que de alguna manera estaba separando el relato del resto y poniendo toda su carga en la cubierta, tal como ahora en su última película que acabo de ver hace tres días aquí en San Francisco, alguien ha elegido un título, *Hopscotch,* alguien que sabe que esa palabra se traduce por *Rayuela* en español. Las botellas han llegado a destino, Glenda, pero el mar en el que derivaron no es el mar de los navíos y de los albatros.

Todo se dio en un segundo, pensé irónicamente que había venido a San Francisco para hacer un cursillo con estudiantes de Berkeley y que íbamos a divertirnos ante la coincidencia del título de esa película y el de la novela que sería uno de los temas de trabajo. Entonces, Glenda, vi la fotografía de la protagonista y por primera vez fue el miedo. Haber

llegado de México trayendo un libro que se anuncia
con su nombre, y encontrar su nombre en una película que se anuncia con el título de uno de mis libros,
valía ya como una bonita jugada del azar que tantas
veces me ha hecho jugadas así; pero eso no era todo,
eso no era nada hasta que la botella se hizo pedazos
en la oscuridad de la sala y conocí la respuesta, digo
respuesta porque no puedo ni quiero creer que sea
una venganza.

No es una venganza sino un llamado al mar-
gen de todo lo admisible, una invitación a un viaje
que sólo puede cumplirse en territorios fuera de todo
territorio. La película, desde ya puedo decir que des-
preciable, se basa en una novela de espionaje que
nada tiene que ver con usted o conmigo, Glenda, y
precisamente por eso sentí que detrás de esa trama
más bien estúpida y cómodamente vulgar se agazapaba otra cosa, impensablemente otra cosa puesto que
usted no podía tener nada que decirme y a la vez sí,
porque ahora usted era Glenda Jackson y si había
aceptado filmar una película con ese título yo no podía dejar de sentir que lo había hecho desde Glenda
Garson, desde los umbrales de esa historia en la que
yo la había llamado así. Y que la película no tuviera
nada que ver con eso, que fuera una comedia de espionaje apenas divertida, me forzaba a pensar en lo
obvio, en esas cifras o escrituras secretas que en una
página de cualquier periódico o libro previamente con-
venidos remiten a las palabras que transmitirán el
mensaje para quien conozca la clave. Y era así, Glenda, era exactamente así. ¿Necesito probárselo cuando
la autora del mensaje está más allá de toda prueba?
Si lo digo es para los terceros que van a leer mi relato
y ver su película, para lectores y espectadores que
serán los ingenuos puentes de nuestros mensajes: un
cuento que acaba de editarse, una película que acaba

de salir, y ahora esta carta que casi indeciblemente los contiene y los clausura.

Abreviaré un resumen que poco nos interesa ya. En la película usted ama a un espía que se ha puesto a escribir un libro llamado *Hopscotch* a fin de denunciar los sucios tráficos de la CIA, del FBI y del KGB, amables oficinas para las que ha trabajado y que ahora se esfuerzan por eliminarlo. Con una lealtad que se alimenta de ternura usted lo ayudará a fraguar el accidente que ha de darlo por muerto frente a sus enemigos; la paz y la seguridad los esperan luego en algún rincón del mundo. Su amigo publica *Hopscotch,* que aunque no es mi novela deberá llamarse obligadamente *Rayuela* cuando algún editor de «best-sellers» la publique en español. Una imagen hacia el final de la película muestra ejemplares del libro en una vitrina, tal como la edición de mi novela debió estar en algunas vitrinas norteamericanas cuando Pantheon Books la editó hace años. En el cuento que acaba de salir en México yo la maté simbólicamente, Glenda Jackson, y en esta película usted colabora en la eliminación igualmente simbólica del autor de *Hopscotch.* Usted, como siempre, es joven y bella en la película, y su amigo es viejo y escritor como yo. Con mis compañeros del club entendí que sólo en la desaparición de Glenda Garson se fijaría para siempre la perfección de nuestro amor; usted supo también que su amor exigía la desaparición para cumplirse a salvo. Ahora, al término de esto que he escrito con el vago horror de algo igualmente vago, sé de sobra que en su mensaje no hay venganza sino una incalculablemente hermosa simetría, que el personaje de mi relato acaba de reunirse con el personaje de su película porque usted lo ha querido así, porque sólo ese doble simulacro de muerte por amor podía acercarlos. Allí, en ese territorio fuera de toda brújula usted y yo estamos mirándonos, Glenda, mientras yo aquí termino esta carta y usted en algún lado, pienso que en Londres, se maquilla para entrar en escena o estudia el papel para su próxima película.

Fin de etapa

A Sheridan LeFanu, por ciertas casas.
A Antoni Taulé, por ciertas mesas.

Tal vez se detuvo ahí porque el sol ya estaba alto y el mecánico placer de manejar el auto en las primeras horas de la mañana cedía paso a la modorra, a la sed. Para Diana ese pueblo de nombre anodino era otra pequeña marca en el mapa de la provincia, lejos de la ciudad en la que dormiría esa noche, y la plaza que las copas de los plátanos protegían del calor de la carretera se daba como un paréntesis en el que entró con un suspiro de alivio, frenando al lado del café donde las mesas desbordaban bajo los árboles.

El camarero le trajo un anisado con hielo y le preguntó si más tarde querría almorzar, sin apuro porque servían hasta las dos. Diana dijo que daría una vuelta por el pueblo y que volvería. «No hay mucho que ver», le informó el camarero. Le hubiera gustado contestarle que tampoco ella tenía muchas ganas de mirar, pero en cambio pidió aceitunas negras y bebió casi bruscamente del alto vaso donde se irisaba el anisado. Sentía en la piel una frescura de sombra, algunos parroquianos jugaban a las cartas, dos chicos con un perro, una vieja en el puesto de periódicos, todo como fuera del tiempo, estirándose en la calina del verano. Como fuera del tiempo, lo había pensado mirando la mano de uno de los jugadores que mantenía largamente la carta en el aire antes de dejarla caer en la mesa con un latigazo de triunfo. Eso que ella ya no se sentía con ánimo de hacer, prolongar cualquier cosa bella, sentirse vivir de veras en esa dilación deliciosa que alguna vez la había sostenido en el temblor del tiempo. «Curioso que vivir pueda volverse una pura aceptación», pensó mirando al perro que jadeaba en el suelo, «incluso esta aceptación de no aceptar nada, de irme casi antes de llegar, de matar todo lo que todavía no es capaz de matarme». Dejaba el cigarrillo entre los labios, sabiendo que terminaría por quemárselos y que tendría que arrancarlo y aplastarlo como lo había hecho con esos años en que había perdido todas las razones para llenar el presente con algo más que cigarrillos, la chequera cómoda y el auto servicial. «Perdido», repitió, «tan bonito tema de Duke Ellington y ni siquiera me lo acuerdo, dos veces perdido, muchacha, y también perdida la muchacha, a los cuarenta ya es solamente una manera de llorar dentro de una palabra».

Sentirse de golpe tan idiota exigía pagar y darse una vuelta por el pueblo, ir al encuentro de cosas que ya no vendrían solas al deseo y a la imaginación. Ver las cosas como quien es visto por ellas, allí esa tienda de antigüedades sin interés, ahora la fachada vetusta del museo de bellas artes. Anunciaban una exposición individual, ninguna idea del pintor de nombre poco pronunciable. Diana compró un billete y entró en la primera sala de una módica casa de piezas corridas, penosamente transformada por ediles de provincia. Le habían dado un folleto que contenía vagas referencias a una carrera artística sobre todo regional, fragmentos de críticas, los elogios típicos; lo abandonó sobre una consola y miró los cuadros, en el primer momento pensó que eran fotografías y le llamó la atención el tamaño, poco frecuente ver ampliaciones tan grandes en color. Se interesó de veras cuando reconoció la materia, la perfección maniática del detalle; de golpe fue a la inversa, una impresión de estar viendo cuadros basados en fotografías, algo que iba y venía entre los dos, y aunque las salas estaban bien iluminadas la indecisión duraba frente a esas telas que acaso eran pinturas de fotografías o resultados de una obsesión realista que llevaba al pintor hasta un límite peligroso o ambiguo.

En la primera sala había cuatro o cinco pinturas que volvían sobre el tema de una mesa desnuda o con un mínimo de objetos, violentamente iluminada por una luz solar rasante. En algunas telas se sumaba una silla, en otras la mesa no tenía otra compañía que su sombra alargada en el piso azotado por la luz lateral. Cuando entró en la segunda sala vio algo nuevo, una figura humana en una pintura que unía un interior con una amplia salida hacia jardines poco precisos; la figura, de espaldas, se había alejado ya de la casa donde la mesa inevitable se repetía en primer plano, equidistante entre el personaje pintado y Diana. No costaba mucho comprender o imaginar que la casa era siempre la misma, ahora se agregaba la larga galería verdosa de otro cuadro donde la silueta de espaldas miraba hacia una puerta-ventana distante. Curiosamente la silueta del personaje era menos intensa que las mesas vacías, tenía algo de visitante ocasional que se paseara sin demasiada razón por una vasta casa abandonada. Y luego había el silencio, no sólo porque Diana parecía ser la sola presencia en el pequeño museo, sino porque de las pinturas emanaba una soledad que la oscura silueta masculina no hacía más que ahondar. «Hay algo en la luz», pensó Diana, «esa luz que entra como una materia sólida y aplasta las cosas». Pero también el color estaba lleno de silencio, los fondos profundamente negros, la brutalidad de los contrastes que daba a las sombras una calidad de paños fúnebres, de lentas colgaduras de catafalco.

Al entrar en la segunda sala descubrió sorprendida que además de otra serie de cuadros con mesas desnudas y el personaje de espaldas, había algunas telas con temas diferentes, un teléfono solitario, un par de figuras. Las miraba, por supuesto, pero un poco como si no las viera, la secuencia de la casa con las mesas solitarias tenía tanta fuerza que el resto de las pinturas se convertía en un aderezo suplementario, casi como si fueran cuadros de adorno colgando en las paredes de la casa pintada y no en el museo. Le hizo gracia descubrirse tan hipnotizable, sentir el placer un poco amodorrado de ceder a la imaginación, a los fáciles demonios del calor de mediodía. Volvió a la primera sala porque no estaba segura de acordarse bien de una de las pinturas que había visto, descubrió que en la mesa que creía desnuda había un jarro con pinceles. En cambio, la mesa vacía estaba en el cuadro colgado en la pared opuesta, y Diana se quedó un momento buscando conocer mejor el fondo de la tela, la puerta abierta tras de la cual se adivinaba otra estancia, parte de una chimenea o de una segunda puerta. Cada vez se le hacía más evidente que todas las habitaciones correspondían a una misma casa, como la hipertrofia de un autorretrato en el que el artista hubiera tenido la elegancia de abstraerse, a menos que estuviera representado en la silueta negra (con una larga capa en uno de los cuadros), dando obstinadamente la espalda al otro visitante, a la intrusa que había pagado para entrar a su vez en la casa y pasearse por las piezas desnudas.

Volvió a la segunda sala y fue hacia la puerta entornada que comunicaba con la siguiente. Una voz amable y un poco cohibida la hizo volverse; un guardián uniformado —con ese calor, el pobre—, venía a decirle que el museo cerraba a mediodía pero que volvería a abrirse a las tres y media.

—¿Queda mucho por ver? —preguntó Diana, que bruscamente sentía el cansancio de los museos, la náusea de los ojos que han comido demasiadas imágenes.

—No, la última sala, señorita. Hay un solo cuadro ahí, dicen que el artista quiso que estuviera solo. ¿Quiere verlo antes de irse? Yo puedo esperar un momento.

Era idiota no aceptar, Diana lo sabía cuando dijo que no y los dos cambiaron una broma sobre los almuerzos que se enfrían si no se llega a tiempo, «No tendrá que pagar otro billete si vuelve», dijo el guardián, «ahora ya la conozco». En la calle, enceguecida por la luz cenital, se preguntó qué diablos le pasaba, era absurdo haberse interesado hasta ese punto por el hiperrealismo o lo que fuera de ese pintor ignoto, y de golpe dejar caer el último cuadro que acaso era el mejor. Pero no, el artista había querido aislarlo de los otros y eso indicaba acaso que era muy diferente, otra manera u otro tiempo de trabajo, para qué romper así una secuencia que duraba en ella como un todo, incluyéndola en un ámbito sin resquicios. Mejor no haber entrado en la última sala, no haber cedido a la obsesión del turista concienzudo, a la triste manía de querer abarcar los museos hasta el final.

Vio a la distancia el café de la plaza y pensó que era la hora de comer; no tenía apetito pero siempre había sido así cuando viajaba con Orlando, para Orlando el mediodía era el instante crucial, la ceremonia del almuerzo sacralizando de alguna manera el tránsito de la mañana a la tarde, y desde luego Orlando se hubiera negado a seguir andando por el pueblo cuando el café estaba ahí a dos pasos. Pero Diana no tenía hambre y pensar en Orlando le dolía cada vez menos; echar a andar alejándose del café no era desobedecer o traicionar rituales. Podía seguir acordándose sin sumisión de tantas cosas, abandonarse al azar de la marcha y a una vaga evocación de algún otro verano con Orlando en las montañas, de una playa que acaso volvía para exorcisar la brasa del sol en la espalda y la nuca, Orlando en esa playa batida por el viento y la sal mientras Diana se iba perdiendo en las callejas sin nombres y sin gentes, al ras de los muros de piedra gris, mirando distraídamente algún raro portal abierto, una sospecha de patios interiores, de brocales con agua fresca, glicinas, gatos adormecidos en las lajas. Una vez más el sentimiento de no recorrer un pueblo sino de ser recorrida por él, los adoquines de la calzada resbalando hacia atrás como en una cinta móvil, ese estar ahí mientras las cosas fluyen y se pierden a la espalda, una vida o un pueblo anónimo. Ahora venía una pequeña plaza con dos bancos raquíticos, otra calleja abriéndose hacia los campos linderos, jardines con empalizadas no demasiado convencidas, la soledad totalmente mediodía, su crueldad de matador de sombras, de paralizador del tiempo. El jardín un poco abandonado no tenía árboles, dejaba que los ojos corrieran libremente hasta la ancha puerta abierta de la vieja casa. Sin creerlo y a la vez sin negarlo Diana entrevió en la penumbra una galería idéntica a la de uno de los cuadros del museo, se sintió como abordando el cuadro desde el otro lado, fuera de la casa en vez de estar incluida como espectadora en sus estancias. Si algo había de extraño en ese momento era la falta de extrañeza en un reconocimiento que la llevaba a entrar sin vacilaciones en el jardín y acercarse a la puerta de la casa, por qué no al fin y al cabo si había pagado su billete, si no había nadie que se opusiera a su presencia en el jardín, su paso por la doble puerta abierta, recorrer la galería abriéndose a la primera sala vacía donde la ventana dejaba entrar la cólera amarilla de la luz aplastándose en el muro lateral, recortando una mesa vacía y una única silla.

Ni temor ni sorpresa, incluso el fácil recurso de apelar a la casualidad había resbalado por Diana sin encontrar asidero, para qué envilecerse con hipótesis o explicaciones cuando ya otra puerta se abría a la izquierda y en una habitación de altas chimeneas la mesa inevitable se desdoblaba en una larga sombra minuciosa. Diana miró sin interés el pequeño mantel blanco y los tres vasos, las repeticiones se volvían monótonas, el embate de la luz tajeando la penumbra. Lo único diferente era la puerta del fondo, que estuviera cerrada en vez de entornada introducía algo inesperado en un recorrido que se cumplía tan dócilmente. Deteniéndose apenas, se dijo que la puerta estaba cerrada simplemente porque ella no había entrado en la última sala del museo, y que mirar detrás de esa puerta sería como volver allá para completar la visita. Todo demasiado geométrico al fin y al cabo, todo impensable y a la vez como previsto, tener miedo o asombrarse parecía tan incongruente como ponerse a silbar o preguntar a gritos si había alguien en la casa.

Ni siquiera una excepción en la única diferencia, la puerta cedió a su mano y fue otra vez lo de antes, el chorro de luz amarilla estrellándose en una pared, la mesa que parecía más desnuda que las otras, su proyección alargada y grotesca como si alguien le hubiera arrancado violentamente una carpeta negra para tirarla al suelo, y por qué no verla de otra manera, como un rígido cuerpo a cuatro patas que acabara de ser despojado de sus ropas ahí caídas en una mancha negruzca. Bastaba mirar las paredes y la ventana para encontrar el mismo teatro vacío, esta vez ni siquiera otra puerta que prolongara la casa hacia nuevas estancias. Aunque había visto la silla junto a la mesa, no la había incluido en su primer reconocimiento pero ahora la sumaba a lo ya sabido, tantas mesas con o sin sillas en tantas habitaciones semejantes. Vagamente decepcionada se acercó a la mesa y se sentó, se puso a fumar un cigarrillo, a jugar con el humo que trepaba en el chorro de luz horizontal, dibujándose a sí mismo como si quisiera oponerse a esa voluntad de vacío de todas las piezas, de todos los cuadros, del mismo modo que la breve risa en algún lugar a espaldas de Diana cortó por un instante el silencio aunque acaso sólo fuera un breve llamado de pájaro allí fuera, un juego de maderas resecas; inútil, por supuesto, volver a mirar en la habitación precedente donde los tres vasos sobre la mesa lanzaban sus débiles sombras contra la pared, inútil apurar el paso, huir sin pánico pero sin mirar atrás.

En la calleja un chico le preguntó la hora y Diana pensó que debería apresurarse si quería almorzar, pero el camarero estaba como esperándola bajo los plátanos y le hizo un gesto de bienvenida señalándole el lugar más fresco. Comer no tenía sentido pero en el mundo de Diana casi siempre se había comido así, ya porque Orlando decía que era hora de hacerlo o porque no quedaba más remedio entre dos ocupaciones. Pidió un plato y vino blanco, esperó demasiado para un lugar tan vacío; ya antes de tomar el café y pagar sabía que iba a volver al museo, que lo peor en ella la obligaba a revisar eso que hubiera sido preferible asumir sin análisis, casi sin curiosidad, y que si no lo hacía iba a lamentarlo al final de la etapa cuando todo se volviera usual como siempre, los museos y los hoteles y el recuento del pasado. Y aunque en el fondo nada quedara en claro, su inteligencia se tendería en ella como una perra satisfecha apenas verificara la total simetría de las cosas, que el cuadro colgado en la última sala del museo representaba obedientemente la última habitación de la casa; incluso el resto podría entrar también en el orden si hablaba con el guardián para llenar los huecos, al fin y al cabo había tantos artistas que copiaban exactamente sus modelos, tantas mesas de este mundo habían acabado en el Louvre o en el Metropolitan duplicando realidades vueltas polvo y olvido.

Cruzó sin apuro las dos primeras salas (había una pareja en la segunda, hablándose en voz baja aunque hasta ese momento fueran los únicos visitantes de la tarde). Diana se detuvo ante dos o tres de los cuadros, y por primera vez el ángulo de la luz entró también en ella como una imposibilidad que no había querido reconocer en la casa vacía. Vio que la pareja retrocedía hacia la salida, y esperó a quedarse sola antes de ir hacia la puerta de la última sala. El cuadro estaba en la pared de la izquierda, había que avanzar hasta el centro para ver bien la representación de la mesa y de la silla donde se sentaba una mujer. Al igual que el personaje de espaldas en algunos de los otros cuadros, la mujer vestía de negro pero tenía la cara vuelta de tres cuartos, y el pelo castaño le caía hasta los hombros del lado invisible del perfil. No había nada que la distinguiera demasiado de lo anterior, se integraba a la pintura como el hombre que se paseaba en otras telas, era parte de una secuencia, una figura más dentro de la misma voluntad estética. Y a la vez había algo allí que acaso explicaba que el cuadro estuviera solo en la última sala, de las semejanzas aparentes surgía ahora otro sentimiento, una progresiva convicción de que esa mujer no sólo se diferenciaba del otro personaje por el sexo sino por su actitud, el brazo izquierdo colgando a lo largo del cuerpo, la leve inclinación del torso que descargaba su peso sobre el codo invisible apoyado en la mesa, estaban diciéndole otra cosa a Diana, le estaban mostrando un abandono que iba más allá del ensimismamiento o la modorra. Esa mujer estaba muerta, su pelo y su brazo colgando, su inmovilidad inexplicablemente más intensa que la fijación de las cosas y los seres en los otros cuadros: la muerte ahí como una culminación del silencio, de la soledad de la casa y sus personajes, de cada una de las mesas y las sombras y las galerías.

Sin saber cómo se vio otra vez en la calle, en la plaza, subió al auto y salió a la carretera hirviente. Había acelerado a fondo pero poco a poco fue bajando la velocidad y sólo empezó a pensar cuando el cigarrillo le quemó los labios, era absurdo pensar cuando había tantas casettes con la música que Orlando había amado y olvidado y que ella solía escuchar de a ratos, aceptando atormentarse con la invasión de recuerdos preferibles a la soledad, a la vaga imagen del asiento vacío a su lado. La ciudad estaba a una hora de distancia, como todo parecía estar a horas o a siglos de distancia, el olvido por ejemplo o el gran baño caliente que se daría en el hotel, los whiskys en el bar, el diario de la tarde. Todo simétrico como siempre para ella, una nueva etapa dándose como réplica de la anterior, el hotel que completaría un número par de hoteles o abriría el impar que la etapa siguiente colmaría; como las camas, los surtidores de nafta, las catedrales o las semanas. Y lo mismo hubiera debido ocurrir en el museo donde la repetición se había dado maniáticamente, cosa por cosa, mesa por mesa, hasta la ruptura final insoportable, la excepción que había hecho estallar en un segundo ese perfecto acuerdo de algo que ya no entraba en nada, ni en la razón ni en la locura. Porque lo peor era buscar algo razonable en eso que desde el principio había tenido algo de delirio, de repetición idiota, y a la vez sentir como una náusea que sólo su cumplimiento total le hubiera devuelto una conformidad razonable, hubiera puesto esa locura del buen lado de su vida, lo hubiera alineado con las otras simetrías, con las otras etapas. Pero entonces no podía ser, algo había escapado ahí y no se podía seguir adelante y aceptarlo, todo su cuerpo se tendía hacia atrás como resistiendo al avance, si algo quedaba por hacer era dar media vuelta y regresar, convencerse con todas las pruebas de la razón de que eso era idiota, que la casa no existía o que sí, que la casa estaba ahí pero que en el museo sólo había una muestra de dibujos abstractos o de pinturas históricas, algo que ella no se había molestado en ver. La fuga era una sucia manera de aceptar lo inaceptable, de infringir demasiado tarde la única vida imaginable, la pálida aquiescencia cotidiana a la salida del sol o a las noticias de la radio. Vio llegar un refugio vacío a la derecha, viró en redondo y entró de nuevo en la carretera, corriendo a fondo hasta que las primeras granjas en torno al pueblo volvieron a su encuentro. Dejó atrás la plaza, recordaba que tomando a la izquierda llegaría a un término donde podía dejar el auto, siguió a pie por la primera calleja vacía, oyó cantar una cigarra en lo alto de un plátano, el jardín abandonado estaba ahí, la gran puerta seguía abierta.

Para qué demorarse en las dos primeras habitaciones donde la luz rasante no había perdido intensidad, verificar que las mesas seguían ahí, que tal vez ella misma había cerrado la puerta de la tercera estancia al salir. Sabía que bastaba empujarla, entrar sin obstáculos y ver de lleno la mesa y la silla. Sentarse otra vez para fumar un cigarrillo (la ceniza del otro se acumulaba prolijamente en un ángulo de la mesa, la colilla había debido tirarla en la calle), apoyándose de lado para evitar el embate directo de la luz de la ventana. Buscó el encendedor en el bolso, miró la primera voluta del humo que se enroscaba en la luz. Si la leve risa había sido al fin y al cabo un canto de pájaro, afuera no cantaba ningún pájaro ahora. Pero le quedaban muchos cigarrillos por fumar, podía apoyarse en la mesa y dejar que su mirada se perdiera en la oscuridad de la pared del fondo. Podía irse cuando quisiera, por supuesto, y también podía quedarse; acaso sería hermoso ver si la luz del sol iba subiendo por la pared, alargando más y más la sombra de su cuerpo, de la mesa y de la silla, o si seguiría así sin cambiar nada, la luz inmóvil como todo el resto, como ella y como el humo inmóviles.

Segundo viaje

El que me presentó a Ciclón Molina fue el petiso Juárez una noche después de las peleas, al poco tiempo Juárez se fue a Córdoba por un trabajo pero yo seguí encontrándome cada tanto con Ciclón en ese café de Maipú al quinientos que ya no está más, casi siempre los sábados después del box. Posiblemente hablamos de Mario Pradás desde la primera vez, Juárez había sido uno de los hinchas más rabiosos de Mario, aunque no más que Ciclón porque Ciclón fue sparring de Mario cuando se preparaba para el viaje a Estados Unidos y se acordaba de tantas cosas de Mario, la forma en que pegaba, sus famosas agachadas hasta el suelo, su hermosa izquierda, su coraje tranquilo. Todos habíamos seguido la carrera de Mario, era raro que nos encontráramos después del box en el café sin que alguien se acordara en cualquier momento de Mario, y siempre entonces había un silencio en la mesa, los muchachos pitaban callados, y después venían los recuentos, las precisiones, a veces las polémicas sobre fechas, adversarios y performances. Ahí Ciclón tenía más para decir que los otros porque había sido sparring de Mario Pradás y también lo había tratado como amigo, nunca se le olvidaba que Mario le había conseguido la primera preliminar en el Luna Park en una época en que el ring estaba más lleno de candidatos que un ascensor de ministerio.

—La perdí por puntos —decía en esos casos Ciclón, y todos nos reíamos, parecía cómico que hubiera pagado tan mal el favor que le hacía Mario. Pero Ciclón no se enojaba con nosotros, sobre todo conmigo después que Juárez le dijo que yo no me perdía pelea y que era una enciclopedia en eso de campeones mundiales desde los tiempos de Jack Johnson. Tal vez por eso a Ciclón le gustaba encontrarme solo en el café los sábados a la noche, hablábamos largo sobre cosas del deporte. Le gustaba enterarse de los tiempos de Firpo, para él todo eso era mitología y lo saboreaba como un chico, Gibbons y Tunney, Carpentier, yo le iba contando de a pedazos con ese gusto de sacar recuerdos a flote, todo lo que no le podía interesar a mi señora ni a mi nena, te darás cuenta. Y había otra cosa y es que Ciclón seguía peleando en preliminares, ganaba o perdía más o menos parejo, sin escalar posiciones, era de los que el público conocía sin encariñarse, una que otra voz alentándolo apenas en la modorra de las peleas de relleno. No había nada que hacer y él lo sabía, no era un pegador, le faltaba técnica en un tiempo en que había tantos livianos que se las sabían todas; sin decírselo, claro, yo lo llamaba el boxeador decente, el tipo que se ganaba unos pesos peleando lo mejor posible, sin cambiar demasiado de ánimo cuando ganaba o perdía; como los pianistas de bar o los partiquinos, fijate, haciendo lo suyo como distraído, nunca lo noté cambiado después de una pelea, llegaba al café si no estaba muy golpeado, nos tomábamos unas cervezas y él esperaba y recibía los comentarios con una sonrisa mansa, me daba su versión de la cosa desde el ring, a veces tan diferente de la mía desde abajo, nos alegrábamos o nos quedábamos callados según los casos, las cervezas eran festejo o linimento, lindo el pibe Ciclón, lindo amigo. A él justamente le tenía que pasar, por qué, es una de esas cosas que uno cree y no cree, eso que a lo mejor le pasó a Ciclón y que él mismo no entendió nunca, eso que empezó sin aviso después de una pelea perdida por puntos y una empatada justo justo, en el otoño de un año que no me acuerdo bien, hace ya tanto.

Lo que sé es que antes de que empezara eso habíamos vuelto a hablar de Mario Pradás, y Ciclón me ganaba lejos cuando hablábamos de Mario, de él sí sabía más que nadie y eso que no había podido acompañarlo a Estados Unidos para la pelea por el campeonato mundial, el entrenador había elegido solamente a un sparring porque allá sobraban y le tocó a José Catalano, pero lo mismo Ciclón estaba al tanto de todo por otros amigos y por los diarios, cada pelea ganada por Mario hasta la noche del campeonato y lo que pasó después, eso que ninguno de nosotros podía olvidar pero que para Ciclón era todavía peor, una especie de lastimadura que se le sentía en la voz y en los ojos cuando se acordaba.

—Tony Giardello —decía—. Tony Giardello, hijo de puta.

Nunca lo había oído insultar a los que le habían ganado a él, en todo caso no los insultaba así, como si le hubieran ofendido a la madre. Que Giardello hubiera podido con Mario Pradás no le entraba en la cabeza, y por la forma en que se había informado de la pelea, de cada detalle que había juntado leyendo y escuchando a otros, se sentía que en el fondo no aceptaba la derrota, le buscaba sin decirlo alguna explicación que la cambiara en su memoria, y sobre todo que cambiara lo otro, lo que había pasado después cuando Mario no alcanzó a reponerse de un nocaut que le había dado vuelta la vida en diez segundos para meterlo en un descenso insalvable, en dos o tres peleas mal ganadas o empatadas contra tipos que antes no le hubieran aguantado cuatro vueltas, y al final el abandono y la muerte en pocos meses, su muerte de perro después de una crisis que ni los médicos entendieron, allá por Mendoza donde no había ni hinchas ni amigos.

—Tony Giardello —decía Ciclón mirando la cerveza—. Qué hijo de puta.

Una sola vez me animé a decirle que nadie había dudado de la forma en que Giardello le había ganado a Mario, y que la mejor prueba era que después de dos años seguía siendo campeón mundial y que había defendido tres veces más el título. Ciclón escuchó sin decir nada, pero nunca repetí el comentario y tengo que decir que tampoco él insistió en el insulto, como si se diera cuenta. Se me mezcla un poco el tiempo, debió ser para entonces que vino la pelea —de semifondo por falta de cosa mejor esa noche— con el zurdo Aguinaga, y que Ciclón después de boxear como siempre los primeros tres rounds salió en el cuarto como si anduviera en bicicleta y en cuarenta segundos lo dejó al zurdo colgando de las sogas. Esa noche pensé que lo encontraría en el café pero seguro que se fue a festejar con otros amigos o a su bulín (estaba casado con una piba de Luján y la quería mucho), de modo que me quedé sin comentarios. Claro que después de eso no podía extrañarme que los del Luna Park le armaran una pelea de fondo con Rogelio Coggio, que venía con mucha fama de Santa Fe, y aunque me temía lo peor para Ciclón fui a hinchar por él y te juro que casi no pude creer lo que pasó, quiero decir que al principio no pasó nada y Coggio la tenía ganada desde lejos a partir de la cuarta vuelta, lo del zurdo me empezaba a parecer una pura casualidad cuando Ciclón empezó a atacar casi sin guardia desde el vamos, de golpe Coggio se le colgó como de una percha, la gente de pie no entendía nada y ya Ciclón de un uno-dos lo sentaba por ocho segundos y casi en seguida lo dormía con un gancho que se habrá oído hasta en la plaza de Mayo. Te la debo, como se decía entonces.

Esa noche Ciclón llegó al café con la barra de adulones que siempre se apilan a los ganadores, pero después de festejar un rato y hacerse fotos con ellos vino a mi mesa y se sentó como queriendo que lo dejaran tranquilo. No se lo veía cansado aunque Coggio le había dejado una ceja a la miseria, pero lo que más me extrañó fue que me miraba distinto, casi como preguntándome o preguntándose algo; por momentos se frotaba la muñeca derecha y me volvía a mirar medio raro. Yo qué te voy a decir, estaba tan asombrado después de lo que había visto que más bien esperaba que él hablara, aunque al final tuve que darle mi versión de la cosa y creo que Ciclón se dio bien cuenta de que yo no terminaba de creerlo, el zurdo y Coggio en menos de dos meses y en esa forma, me faltaban las palabras.

Me acuerdo, el café se iba quedando vacío aunque el patrón nos dejaba a nosotros lo que se nos daba la gana después de bajar la metálica. Ciclón bebió otra cerveza casi de un trago y se frotó de nuevo la muñeca resentida.

—Debe ser Alesio —dijo—, uno no se da bien cuenta pero seguro son los consejos de Alesio.

Lo decía como tapando un agujero, sin convicción. Yo no estaba al tanto de que había cambiado de entrenador y claro, me pareció que de ahí podía venir la cosa, pero hoy que vuelvo a pensarlo siento que tampoco estaba convencido. Claro que alguien como Alesio podía hacer mucho por Ciclón, pero esa pegada de nocaut no podía aparecer por milagro. Ciclón se miraba las manos, se frotaba la muñeca.

—No sé lo que me pasa —dijo como si le diera vergüenza—. Me pasa de golpe, las dos veces fue igual, viejo.

—Te estás entrenando fenómeno —le dije—, se ve clarito la diferencia.

—Ponele, pero así de repente... ¿Es brujo, Alesio?

—Vos seguí dándole —le dije por bromear y para sacarlo de esa especie de ausencia en que lo notaba—, para mí que ya no te ataja nadie, Ciclón.

Y así nomás era, después de la pelea con el Gato Fernández a nadie le quedó duda de que el camino estaba abierto, el mismo camino de Mario Pradás dos años antes, un barco, dos o tres peleas de apronte, el desafío por el campeonato del mundo. Fueron tiempos jodidos para mí, hubiera dado cualquier cosa por acompañarlo a Ciclón pero no me podía mover de Buenos Aires, estuve con él lo más posible, nos veíamos bastante en el café aunque ahora Alesio lo cuidaba y le medía la cerveza y otras cosas. La última vez fue después de la pelea con el Gato; no se me olvida que Ciclón me buscó entre el gentío del café y me pidió que fuéramos a caminar un rato por el puerto. Se metió en el auto y le negó a Alesio que viniera con nosotros, nos bajamos en uno de los docks y dimos una vuelta mirando los barcos. Desde el vamos yo había tenido como una idea de que Ciclón quería decirme algo; le hablé de la pelea, de cómo el Gato se había jugado hasta el final, era de nuevo como llenar agujeros porque Ciclón me miraba sin escuchar mucho, asintiendo y callándose, el Gato, sí, nada fácil el Gato.

—Al principio me diste un julepe —le dije—. A vos te lleva un rato calentarte, y es peligroso.

—Ya lo sé, carajo. Alesio se pone hecho una fiera cada vez, se piensa que lo hago a propósito o de puro compadre.

—Es malo, che, por ahí te pueden madrugar. Y ahora...

—Sí —dijo Ciclón, sentándose en un rollo de soga—, ahora es Tony Giardello.

—Así nomás es, compadre.

—Qué querés, Alesio tiene razón, vos también tenés razón. No pueden entender, te das cuenta. Yo mismo no lo entiendo, por qué tengo que esperar.

—¿Esperar qué?

—Qué sé yo, que venga —dijo Ciclón y desvió la cara. No me lo vas a creer pero aunque de alguna manera no me agarró tan de sorpresa, lo mismo me quedé medio cortado, pero Ciclón no me dio tiempo a salir del paso, me miraba fijo en los ojos como queriendo decidirse.

—Vos te das cuenta —dijo—. Ni a Alesio ni a nadie les puedo hablar mucho porque les tendría que romper la cara, no me gusta que me tomen por loco.

Repetí el viejo gesto que se hace cuando no podés hacer otra cosa, le puse la mano en el hombro y se lo apreté.

—No entiendo un carajo —le dije—, pero te agradezco, Ciclón.

—Al menos vos y yo podemos hablar —dijo Ciclón. Como la noche de Coggio, te acordás. Vos te diste cuenta, vos me dijiste: «Seguí así».

—Bueno, no sé de qué me habré dado cuenta, solamente que estaba bien que fuera así y te lo dije, no habré sido el único.

Me miró como para hacerme sentir que no era solamente eso, después se puso a reír. Nos reímos los dos, aflojando los nervios.

—Dame un faso —dijo Ciclón—, por una vez que Alesio no me está vigilando como a un nene.

Fumamos de cara al río, al viento húmedo de esa medianoche de verano.

—Ya ves, es así —dijo Ciclón como si ahora le costara menos hablar—. Yo no puedo hacer nada, tengo que pelear esperando hasta que llega ese momento. En una de esas me van a noquear en frío, te juro que me da miedo.

—Te lleva tiempo calentarte, es eso.

—No —dijo Ciclón—, vos sabés muy bien que no es eso. Dame otro faso.

Esperé sin saber qué, y él fumaba mirando el río, el cansancio de la pelea se le estaba cayendo encima de a poco, habría que volver al centro. Me costaba cada palabra, te juro, pero después de eso tenía que preguntarle, no nos podíamos quedar así porque iba a ser peor, Ciclón me había traído al puerto para decirme algo y no podíamos quedarnos así, ves.

—No te sigo muy bien —le dije—, pero a lo mejor pensé igual que vos, porque de otra manera no se entiende lo que pasa.

—Lo que pasa lo sabés —dijo Ciclón—. Qué querés que piense, decímelo vos.

—No sé —me costó decirle.

—Siempre es igual, empieza en un descanso, no me doy cuenta de nada, Alesio que me grita qué sé yo en la oreja, viene la campana y cuando salgo es como si apenas empezara, no te puedo explicar pero es tan diferente. Si no fuera que el otro es el mismo, el zurdo o el Gato, creería que estoy soñando o algo así, después no sé bien lo que pasa, dura tan poco.

—Para el otro, querés decir —intercalé en broma.

—Sí, pero también yo, cuando me levantan el brazo ya no siento nada, estoy de vuelta y no entiendo, me tengo que convencer de a poco.

—Ponele —dije sin saber qué decir—, ponele que es algo así, andá a saber. La cosa es que sigas hasta el final, no hay que hacerse mala sangre buscando explicaciones. Yo en el fondo creo que lo que te pone así es lo que vos querés, y está muy bien, no hay que seguir dándole vueltas.

—Sí —dijo Ciclón—, debe ser eso, lo que yo quiero.

—Aunque no estés convencido.

—Ni vos tampoco, porque no te animás a creerlo.

—Dejá eso, Ciclón. Lo que vos querés es noquearlo a Tony Giardello, eso está claro, me parece.

—Está claro, pero...

—Y a mí se me hace que no querés hacerlo solamente por vos.

—Ahá.

—Y entonces te sentís mejor, algo así.

Caminábamos de vuelta al auto. Me pareció que Ciclón aceptaba con su silencio eso que nos había estado atando la lengua todo el tiempo. Después de todo era otra manera de decirlo sin caer en una de miedo, si me seguís un poco. Ciclón me dejó en la parada del colectivo; manejaba despacio, medio dormido en el volante. Capaz que le pasaba algo antes de llegar a su casa; me quedé inquieto, pero al otro día vi las fotos de un reportaje que le habían hecho por la mañana. Se hablaba de proyectos, claro, del viaje al norte, de la gran noche acercándose despacio.

Ya te dije que no pude acompañarlo a Ciclón, pero con la barra juntábamos informaciones y no nos perdíamos detalle. Igual había sido cuando el viaje de Mario Pradás, primero las noticias sobre el entrenamiento en New Jersey, la pelea con Grossmann, el descanso en Miami, una postal de Mario al *Gráfico* hablando de la pesca de tiburones o algo así, después la pelea con Atkins, el contrato por el mundial, la crítica yanqui cada vez más entusiasta y al final (fíjate si no es triste, digo al final y es tan cierto, carajo) la noche con Giardello, nosotros colgados de la radio, cinco vueltas parejas, la sexta de Mario, la séptima empatada, casi a la salida de la octava la voz del locutor como ahogándose, repitiendo la cuenta de los segundos, gritando que Mario se levantaba, volvía a caer, la nueva cuenta hasta el fin, Mario nocaut, después las fotos que eran como vivir de nuevo tanta desgracia, Mario en su rincón y Giardello poniéndole un guante en la cabeza, el final, te digo, el final de todo eso que habíamos soñado con Mario, desde Mario. Cómo me iba a extrañar que más de un periodista porteño hablara del viaje de Ciclón con sobreentendidos de revancha simbólica, así le llamaban. El campeón seguía allá esperando contendientes y acabando con todos, era como si Ciclón pisara las huellas del otro viaje y tuviera que pasar por las mismas cosas, las barreras que los yanquis le alzaban a cualquiera que buscara el camino del campeonato, cuantimás, si no era del país. Cada vez que leía esos artículos pensaba que si Ciclón hubiera estado conmigo los habríamos comentado nomás que mirándonos, entendiéndolos de una manera tan diferente de los otros. Pero Ciclón también estaría pensando en eso sin necesidad de

leer los diarios, cada día que pasaba tenía que ser
para él como una repetición de algo que le apreta-
ría el estómago, sin querer hablarle a nadie como
había hablado conmigo y eso que no habíamos hablado gran cosa. Cuando en el cuarto round se sacó
de encima la primera mosca, un tal Doc Pinter, le
mandé un telegrama de alegría y él me contestó con
otro: *Seguimos, un abrazo.* Después vino la pelea con
Tommy Bard, que le había aguantado los quince
rounds a Giardello el año antes, Ciclón lo noqueó
en el séptimo, no te hablo del delirio en Buenos
Aires, vos eras muy pibe y no te podés acordar, hubo
gente que no fue al trabajo, se armaron líos en las
fábricas, yo creo que no quedó cerveza en ninguna
parte. La hinchada estaba tan segura que la nueva
pelea la daban por descontada, y tenían razón porque
Gunner Williams le aguantó apenas cuatro vueltas
a Ciclón. Ahora empezaba lo peor, la espera desesperante hasta el doce de abril, la última semana nos
juntaba cada noche en el café de Maipú con diarios
y fotos y pronósticos, pero el día de la pelea me
quedé solo en casa, ya habría tiempo para festejar con la barra, ahora Ciclón y yo teníamos que
estar mano a mano desde la radio, desde algo que
me cerraba la garganta y me obligaba a beber y a
fumar y a decirle cosas idiotas a Ciclón, hablándole
desde el sillón, desde la cocina, dando vueltas como
un perro y pensando en lo que acaso estaría pensando
Ciclón mientras le vendaban las manos, mientras anunciaban los pesos, mientras un locutor repetía tantas
cosas que sabíamos de memoria, el recuerdo de Mario Pradás volviendo para todos desde otra noche que
no se podía repetir, que nunca habíamos aceptado y
que queríamos borrar como se borran a trago limpio
las cosas más amargas.

Vos sabés muy bien lo que pasó, para qué te voy a contar, las tres primeras vueltas de Giardello más veloz y técnico que nunca, la cuarta con Ciclón aceptándole la pelea mano a mano y poniéndolo en apuros al final del round, la quinta con todo el estadio de pie y el locutor que no alcanzaba a decir lo que estaba pasando en el centro del ring, imposible seguir el cambio de golpes más que gritando palabras sueltas, y casi en la mitad del round el directo de Giardello, Ciclón desviándose a un lado sin ver llegar el gancho que lo mandó de espaldas por toda la cuenta, la voz del locutor llorando y gritando, el ruido de un vaso estrellándose en la pared antes de que la botella me hiciera pedazos el frente de la radio, Ciclón nocaut, el segundo viaje idéntico al primero, las pastillas para dormir, qué sé yo, las cuatro de la mañana en un banco de alguna plaza. La puta madre, viejo.

Seguro, no hay nada que comentar, vos dirás que es la ley del ring y otras mierdas, total no lo conociste a Ciclón y por qué te vas a hacer mala sangre. Aquí lloramos, sabés, fuimos tantos que lloramos solos o con la barra, y muchos pensaron y dijeron que en el fondo había sido mejor porque Ciclón no habría aceptado nunca la derrota y era mejor que acabara así, ocho horas de coma en el hospital y se acabó. Me acuerdo, en una revista escribieron que él había sido el único que no se había enterado de nada, mirá si no es bonito, hijos de puta. No te cuento del entierro cuando lo trajeron, después de Gardel fue lo más grande que se vio en Buenos Aires. Yo me abrí de la barra del café porque me sentía mejor solo, pasó no sé cuánto tiempo antes de encontrarme con Alesio en las carreras por pura casualidad. Alesio estaba en pleno trabajo con Carlos Vigo, ya sabés la carrera que hizo ese pibe, pero cuando fuimos a tomarnos una cerveza se acordó de lo amigo que yo había sido de Ciclón y me lo dijo, me lo dijo de una manera rara, mirándome como si no supiera muy bien si tenía que decirlo o si lo estaba diciendo porque después quería decirme otra cosa, algo que lo trabajaba desde adentro. Alesio tenía fama de callado, y yo pensando de nuevo en Ciclón prefería fumar un faso atrás de otro y pedir más cerveza, dejar que pasara el tiempo sintiendo que estaba al lado de alguien que había sido un buen amigo de Ciclón y había hecho todo lo que podía por él.

—Te quiso mucho —le dije en un momento, porque lo sentía y era justo decírselo aunque él lo supiera—. Siempre que me hablaba de vos antes del viaje era como si fueras su padre. Me acuerdo una noche que salimos juntos, por ahí me pidió un faso y después me dijo: «Ahora que no está Alesio, que me cuida como si fuera un nene».

Alesio bajó la cabeza, se quedó pensando.

—Ya sé —me dijo—, era un pibe derecho, nunca tuve problemas con él, por ahí se me escapaba un rato pero volvía callado, siempre me daba la razón y eso que soy un chinche, todos lo dicen.

—Ciclón, carajo.

Nunca me voy a olvidar cuando Alesio levantó la cara y me miró como si de golpe hubiera decidido algo, como si un momento largamente esperado hubiera llegado para él.

—No me importa lo que pienses —dijo marcando cada palabra con su acento donde Italia no había muerto del todo—. A vos te lo cuento porque fuiste su amigo. Una sola cosa te pido, si creés que estoy piantado andate sin contestar, yo sé que de todos modos nunca vas a decir nada.

Me quedé mirándolo, y de golpe fue de nuevo una noche en el puerto, un viento húmedo que nos mojaba la cara a Ciclón y a mí.

—Lo llevaron al hospital, sabés, y lo trepanaron porque el médico dijo que era muy grave pero que se podía salvar. Fijate que no era solamente la piña sino el golpe de la nuca, la forma en que pegó en la lona, yo lo vi tan claro y oi el ruido, a pesar de los gritos oi el ruido, viejo.

—¿Vos creés de veras que se hubiera salvado?

—Qué sé yo, al fin y al cabo he visto nocauts peores en mi vida. La cosa es que a las dos de la mañana ya lo habían operado y yo estaba en el pasillo esperando, no nos dejaban verlo, éramos dos o tres argentinos y algunos yanquis, poco a poco me fui quedando solo con uno que otro del hospital. Como a las cinco un tipo me vino a buscar, yo no pesco mucho inglés pero le entendí que ya no había nada que hacer. Estaba como asustado, era un enfermero viejo, un negro. Cuando vi a Ciclón...

Creí que no iba a hablar más, le temblaba la boca, bebió volcándose cerveza en la camisa.

—Nunca vi una cosa igual, hermano. Era como si lo hubieran estado torturando, como si alguien hubiera querido vengarse de no sé qué. No te puedo explicar, estaba como hueco, como si lo hubieran chupado, como si le faltara toda la sangre, perdoná lo que te digo pero no sé cómo decirlo, era como si él mismo hubiera querido salirse de él, arrancarse de él, comprendés. Como una vejiga desinflada, un muñeco roto, te das cuenta, pero roto por quién, para qué. Bueno, andate si querés, no me dejés seguir hablando.

Cuando le puse la mano en el hombro me acordé que también con Ciclón la noche del puerto, también la mano en el hombro de Ciclón.

—Como quieras —le dije—. Ni vos ni yo podemos entender, qué sé yo, a lo mejor sí pero no lo creeríamos. Lo que yo sé es que no fue Giardello el que mató a Ciclón, Giardello puede dormir tranquilo porque no fue él, Alesio.

Por supuesto no comprendía, como tampoco vos por la cara que estás poniendo.

—Esas cosas pasan —dijo Alesio—. Claro que Giardello no tuvo la culpa, che, no necesitás decírmelo.

—Ya sé, pero vos me has confiado eso que viste, y es justo que te lo agradezca. Te lo agradezco tanto que te voy a decir algo más antes de irme. Por más lástima que nos dé Ciclón, debe haber otro que la merezca más que él, Alesio. Creéme, hay otro al que yo le tengo doblemente lástima, pero para qué seguir, no te parece, ni Alesio entendió ni vos tampoco ahora. Y yo, bueno, qué sé yo lo que entendí, te lo cuento por si en una de esas, nunca se sabe, la verdad que no sé por qué te lo cuento, a lo mejor porque ya estoy viejo y hablo demasiado.

Satarsa

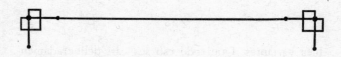

Adán y raza, azar y nada.

Cosas así para encontrar el rumbo, como ahora lo de atar a la rata, otro palindroma pedestre y pegajoso, Lozano ha sido siempre un maniático de esos juegos que no parece ver como tal puesto que todo se le da a la manera de un espejo que miente y al mismo tiempo dice la verdad, le dice la verdad a Lozano porque le muestra su oreja derecha, pero a la vez le miente porque Laura y cualquiera que lo mire verá la oreja derecha como la oreja izquierda de Lozano, aunque simultáneamente la definan como su oreja derecha; simplemente la ven a la izquierda, cosa que ningún espejo puede hacer, incapaz de esa corrección mental, y por eso el espejo le dice a Lozano una verdad y una mentira, y eso lo lleva desde hace mucho a pensar como delante de un espejo; si atar a la rata no da más que eso, las variantes merecen reflexión, y entonces Lozano mira el suelo y deja que las palabras jueguen solas mientras que él las espera como los cazadores de Calagasta esperan a las ratas gigantes para cazarlas vivas.

Puede seguir así durante horas, aunque en este momento la cuestión concreta de las ratas no le deja demasiado tiempo para perderse en las posibles variantes. Que todo eso sea casi deliberadamente insano no le extraña, a veces se encoge de hombros como si quisiera sacarse de encima algo que no consigue explicar, con Laura se ha habituado a hablar de la cuestión de las ratas como si fuera la cosa más normal y en realidad lo es, por qué no va a ser normal cazar ratas gigantes en Calagasta, salir con el pardo Illa y con Yarará a cazar ratas. Esa misma tarde tendrán que acercarse de nuevo a las colinas del norte porque pronto habrá un nuevo embarque de ratas y hay que aprovecharlo al máximo, la gente de Calagasta lo sabe y anda a las batidas por el monte aunque sin acercarse a las colinas, y las ratas también lo saben, por supuesto, y cada vez es más difícil campearlas y sobre todo capturarlas vivas.

Por todas esas cosas a Lozano no le parece nada absurdo que la gente de Calagasta viva ahora casi exclusivamente de la captura de las ratas gigantes, y es en el momento en que prepara unos lazos de cuero muy delgado y que le salta el palindroma de atar a la rata y se queda con un lazo quieto en la mano, mirando a Laura que cocina canturreando, y piensa que el palindroma miente y dice la verdad como todo espejo, claro que hay que atar a la rata porque es la única manera de mantenerla viva hasta enjaularla(s) y dárselas a Porsena que estiba las jaulas en el camión que cada jueves sale para la costa donde espera el barco. Pero también es una mentira porque nadie ha atado jamás una rata gigante como no sea metafóricamente, sujetándola del cuello con una horquilla y enlazándola hasta meterla en la jaula, siempre con las manos bien lejos de la boca sanguinolenta y de las garras como vidrios manoteando el aire. Nadie atará nunca a una rata, y menos desde la última luna en que Illa, Yarará y los otros han sentido que las ratas desplegaban nuevas estrategias, se volvían aún más peligrosas por invisibles y agazapadas en refugios que antes no empleaban, y que cazarlas se va a volver cada vez más difícil ahora que las ratas los conocen y hasta los desafían.

—Todavía tres o cuatro meses —le dice Lozano a Laura, que está poniendo los platos en la mesa bajo el alero del rancho—. Después podremos cruzar al otro lado, las cosas parecen más tranquilas.

—Puede ser —dice Laura—, en todo caso mejor no pensar, cuántas veces nos ha ocurrido equivocarnos.

—Sí. Pero no nos vamos a quedar siempre aquí cazando ratas.

—Es mejor que pasar al otro lado a des tiempo y que las ratas seamos nosotros para ellos.

Lozano ríe, anuda otro lazo. Es cierto que no están tan mal, Porsena paga al contado las ratas y todo el mundo vive de eso, mientras sea posible cazarlas habrá comida en Calagasta, la compañía danesa que manda los barcos a la costa necesita cada vez más ratas para Copenhague, Porsena cree saber que las usan para experiencias de genética en los laboratorios. Por lo menos que sirvan para eso, dice a veces Laura.

Desde la cuna que Lozano ha fabricado con un cajón de cerveza viene la primera protesta de Laurita. El cronómetro, la llama Lozano, el lloriqueo en el segundo exacto en que Laura está terminando de preparar la comida y se ocupa del biberón. Casi no necesitan un reloj con Laurita, les da la hora mejor que el bip-bip de la radio, dice riéndose Laura que ahora la levanta en brazos y le muestra el biberón, Laurita sonriente y ojos verdes, el muñón golpeando en la palma de la mano izquierda como en un remedo de tambor, el diminuto antebrazo rosado que termina en una lisa semiesfera de piel; el doctor Fuentes (que no es doctor pero da igual en Calagasta) ha hecho un trabajo perfecto y no hay casi huella de cicatriz, como si Laurita no hubiera tenido nunca una mano ahí, la mano que le comieron las ratas cuando la gente de Calagasta empezó a cazarlas a cambio de la plata que pagaban los daneses y las ratas se replegaron hasta que un día fue el contraataque, la rabiosa invasión nocturna seguida de fugas vertiginosas, la guerra abierta, y mucha gente renunció a cazarlas para solamente defenderse con trampas y escopetas, y buena parte volvió a cultivar la mandioca o a trabajar en otros pueblos de la montaña. Pero otros siguieron cazándolas, Porsena pagaba al contado y el camión salía cada jueves hacia la costa, Lozano fue el primero en decirle que seguiría cazando ratas, se lo dijo ahí mismo en el rancho mientras Porsena miraba la rata que Lozano había matado a patadas mientras Laura corría con Laurita a lo del doctor Fuentes y ya no se podía hacer nada, solamente cortar lo que quedaba colgando y conseguir esa cicatriz perfecta para que Laurita inventara su tamborcito, su silencioso juego.

Al pardo Illa no le molesta que Lozano juegue tanto con las palabras, quién no es loco a su manera, piensa el pardo, pero le gusta menos que Lozano se deje llevar demasiado y por ahí quiera que las cosas se ajusten a sus juegos, que él y Yarará y Laura lo sigan por ese camino como en tantas otras cosas lo han seguido en esos años desde la fuga por las quebradas del norte después de las masacres. En esos años, piensa Illa, ya ni sabemos si fueron semanas o años, todo era verde y continuo, la selva con su tiempo propio, sin soles ni estrellas, y después las quebradas, un tiempo rojizo, tiempo de piedra y torrentes y hambre, sobre todo hambre, querer contar los días o las semanas era como tener todavía más hambre, entonces habían seguido los cuatro, primero los cinco pero Ríos se mató en un despeñadero y Laura estuvo a punto de morirse de frío en la montaña, ya que estaba de seis meses y se cansaba pronto, tuvieron que quedarse vaya a saber cuánto abrigándola con fuegos de pasto seco hasta que pudo caminar, a veces el pardo Illa vuelve a ver a Lozano llevando a Laura en brazos y Laura no queriendo, diciendo que ya está bien, que puede caminar, y seguir hacia el norte, hasta la noche en que los cuatro vieron las lucecitas de Calagasta y supieron que por el momento todo iría bien, que esa noche comerían en algún rancho aunque después los denunciaran y llegara el primer helicóptero a matarlos. Pero no los denunciaron, ahí ni siquiera conocían las posibles razones para denunciarlos, ahí todo el mundo se moría de hambre como ellos hasta que alguien descubrió a las ratas gigantes cerca de las colinas y Porsena tuvo la idea de mandar una muestra a la costa.

—Atar a la rata no es más que atar a la rata —dice Lozano—. No tiene ninguna fuerza porque no te enseña nada nuevo y porque además nadie puede atar a una rata. Te quedás como al principio, esa es la joda con los palindromas.

—Ajá —dice el pardo Illa.

—Pero si lo pensás en plural todo cambia. Atar a las ratas no es lo mismo que atar a la rata.

—No parece muy diferente.

—Porque ya no vale como palindroma —dice Lozano—. Nomás que ponerlo en plural y todo cambia, te nace una cosa nueva, ya no es el espejo o es un espejo diferente que te muestra algo que no conocías.

—¿Qué tiene de nuevo?

—Tiene que atar a las ratas te da Satarsa la rata.

—¿Satarsa?

—Es un nombre, pero todos los nombres aislan y definen. Ahora sabés que hay una rata que se llama Satarsa. Todas tendrán nombres, seguro, pero ahora hay una que se llama Satarsa.

—¿Y qué ganás con saberlo?

—Tampoco sé, pero sigo. Anoche pensé en dar vuelta el asunto, desatar en vez de atar. Y en cuanto pensé en desatarlas vi la palabra al revés y daba sal, rata, sed. Cosas nuevas, fijate, la sal y la sed.

—No tan nuevas —dice Yarará que escucha de lejos—, aparte de que siempre andan juntas.

—Ponele —dice Lozano—, pero muestran un camino, a lo mejor es la única manera de acabar con ellas.

—No las acabemos tan pronto —se ríe Illa—, de qué vamos a vivir si se acaban.

Laura trae el primer mate y espera, apoyándose un poco en el hombro de Lozano. El pardo Illa vuelve a pensar que Lozano juega demasiado con las palabras, que en una de esas se va a bandear del todo, que todo se va a ir al diablo.

Lozano también lo piensa mientras prepara los lazos de cuero, y cuando se queda solo con Laura y Laurita les habla de eso, les habla a las dos como si Laurita pudiera comprender y a Laura le gusta que incluya a su hija, que estén los tres más juntos mientras Lozano les habla de Satarsa o de cómo salar el agua para acabar con las ratas.

—Para atarlas de veras —se ríe Lozano—. Fijate si no es curioso, el primer palindroma que conocí en mi vida también hablaba de atar a alguien, no se sabe a quién, pero a lo mejor ya era Satarsa. Lo leí en un cuento donde había muchos palindromas pero solamente me acuerdo de ese.

—Me lo dijiste una vez en Mendoza, creo, se me ha borrado.

—Atale, demoníaco Caín, o me delata —dice cadenciosamente Lozano, casi salmodiando para Laurita que se ríe en la cuna y juega con su ponchito blanco.

Laura asiente, es cierto que ya están queriendo atar a alguien en ese palindroma, pero para atarlo tienen que pedírselo nada menos que a Caín. Tratándolo de demoníaco por si fuera poco.

—Bah —dice Lozano—, la convención de siempre, la buena conciencia arrastrándose en la historia desde el vamos, Abel el bueno y Caín el malo como en las viejas películas de cowboys.

—El muchacho y el villano —se acuerda Laura casi nostálgica.

—Claro que si el inventor de ese palindroma se hubiera llamado Baudelaire, lo de demoníaco no sería negativo, sino todo lo contrario. ¿Te acordás?

—Un poco —dice Laura—. Raza de Abel, duerme, bebe y come, Dios te sonríe complacido.

—Raza de Caín, repta y muere miserablemente en el fango.

—Sí, y en una parte dice algo como raza de Abel, tu carroña abonará el suelo humeante, y después dice raza de Caín, arrastra a tu familia desesperada a lo largo de los caminos, algo así.

—Hasta que las ratas devoren a tus hijos —dice Lozano casi sin voz.

Laura hunde la cara en las manos, hace ya tanto que ha aprendido a llorar en silencio, sabe que Lozano no va a tratar de consolarla, Laurita sí, que encuentra divertido el gesto y se ríe hasta que Laura baja las manos y le hace una mueca cómplice. Ya va siendo la hora del mate.

Yarará piensa que el pardo Illa tiene razón y que en una de esas la chifladura de Lozano va a acabar con esa tregua en la que por lo menos están a salvo, por lo menos viven con la gente de Calagasta y se quedan ahí porque no se puede hacer otra cosa, esperando que el tiempo aplaste un poco los recuerdos del otro lado y que también los del otro lado se vayan olvidando de que no pudieron atraparlos, de que en algún lugar perdido están vivos y por eso culpables, por eso la cabeza a precio, incluso la del pobre Ruiz despeñado de un barranco hace tanto tiempo.

—Es cuestión de no seguirle la corriente —piensa Illa en voz alta—. Yo no sé, para mí siempre es el jefe, tiene eso, comprendés, no sé qué, pero lo tiene y a mí me basta.

—Lo jodió la educación —dice Yarará—. Se la pasa pensando o leyendo, eso es malo.

—Puede. Yo no sé si es eso, Laura también fue a la facultad y ya ves, no se le nota. No me parece que sea la educación, lo que lo pone loco es que estemos embretados en este aujero, y lo que pasó con Laurita, pobre gurisa.

—Vengarse —dice Yarará—. Lo que quiere es vengarse.

—Todos queremos vengarnos, unos de los milicos y otros de las ratas, es difícil guardar la cabeza fresca.

A Illa se le ocurre que la locura de Lozano no cambia nada, que las ratas siguen ahí y que es difícil cazarlas, que la gente de Calagasta no se anima a ir demasiado lejos porque se acuerdan de los cuentos, del esqueleto del viejo Millán o de la mano de Laurita. Pero también ellos están locos, y sobre todo Porsena con el camión y las jaulas, y los de la costa y los daneses están todavía más locos gastando plata en ratas para vaya a saber qué. Eso no puede durar mucho, hay chifladuras que se cortan de golpe y entonces será de nuevo el hambre, la mandioca cuando haya, los chicos muriéndose con las barrigas hinchadas. Por eso mejor estar locos, al fin y al cabo.

—Mejor estar locos —dice Illa, y Yarará lo mira sorprendido y después se ríe, asiente casi.

—Cuestión de no seguirle el tren cuando la empieza con Satarsa y la sal y esas cosas, total no cambia nada, él es siempre el mejor cazador.

—Ochenta y dos ratas —dice Illa—. Le batió el récord a Juan López, que andaba en las setenta y ocho.

—No me hagás pasar calor —dice Yarará—, yo con mis treinta y cinco apenas.

—Ya ves —dice Illa—, ya ves que él siempre es el jefe, por donde lo busques.

Nunca se sabe bien cómo llegan las noticias, de golpe hay alguien que sabe algo en el almacén del turco Adab, casi nunca indica la fuente, pero la gente vive tan aislada que las noticias llegan como una bocanada del viento del oeste, el único capaz de traer un poco de fresco y a veces de lluvia. Tan raro como las noticias, tan breve como el agua que acaso salvará los cultivos siempre amarillos, siempre enfermos. Una noticia ayuda a seguir tirando, aunque sea mala.

Laura se entera por la mujer de Abad, vuelve al rancho y la dice en voz baja como si Laurita pudiera comprender, le alcanza otro mate a Lozano que lo chupa despacio, mirando el suelo donde un bicho negro progresa despacio hacia el fogón. Alargando apenas la pierna aplasta al bicho y termina el mate, lo devuelve a Laura sin mirarla, de mano a mano como tantas veces, como tantas cosas.

—Habrá que irse —dice Lozano—. Si es cierto, estarán muy pronto aquí.

—¿Y adónde?

—No sé, y aquí nadie lo sabrá tampoco, viven como si fueran los primeros o los últimos hombres. A la costa en el camión, supongo, Porsena estará de acuerdo.

—Parece un chiste —dice Yarará, que arma un cigarrillo con lentos movimientos de alfarero—. Irnos con las jaulas de las ratas, date cuenta. ¿Y después?

—Después no es problema —dice Lozano—. Pero hace falta plata para ese después. La costa no es Calagasta, habrá que pagar para que nos abran camino al norte.

—Pagar —dice Yarará—. A eso habremos llegado, tener que cambiar ratas por la libertad.

—Peor son ellos que cambian la libertad por ratas —dice Lozano.

Desde su rincón donde se obstina en remendar una bota irremediable, Illa se ríe como si tosiera. Otro juego de palabras, pero hay veces en que Lozano da en el blanco y entonces casi parece que tuviera razón con su manía de andar dando vuelta los guantes, de verlo todo desde la otra punta. La cábala del pobre, ha dicho alguna vez Lozano.

—La cuestión es la gurisa —dice Yarará—. No nos podemos meter en el monte con ella.

—Seguro —dice Lozano—, pero en la costa se puede encontrar algún pesquero que nos deje más arriba, es cuestión de suerte y de plata.

Laura le tiende un mate y espera, pero ninguno dice nada.

—Yo pienso que ustedes dos deberían irse ahora —dice Laura sin mirar a nadie—. Lozano y yo veremos, no hay por qué demorarse más, váyanse ya por la montaña.

Yarará enciende un cigarrillo y se llena la cara de humo. No es bueno el tabaco de Calagasta, hace llorar los ojos y le da tos a todo el mundo.

—¿Alguna vez encontraste una mujer más loca? —le dice a Illa.

—No, che. Claro que a lo mejor quiere librarse de nosotros.

—Váyanse a la mierda —dice Laura dándoles la espalda, negándose a llorar.

—Se puede conseguir suficiente plata —dice Lozano—. Si cazamos bastantes ratas.

—Si cazamos.

—Se puede —insiste Lozano—. Es cosa de empezar hoy mismo, irnos a buscarlas. Porsena nos dará la plata y nos dejará viajar en el camión.

—De acuerdo —dice Yarará—, pero del dicho al hecho ya se sabe.

Laura espera, mira los labios de Lozano como si así pudiera no verle los ojos clavados en una distancia vacía.

—Habrá que ir hasta las cuevas —dice Lozano—. No decirle nada a nadie, llevar todas las jaulas en la carreta del tape Guzmán. Si decimos algo nos van a salir con lo del viejo Millán y no van a querer que vayamos, ya sabés que nos aprecian. Pero el viejo tampoco les dijo nada esa vez y fue por su cuenta.

—Mal ejemplo —dice Yarará.

—Porque iba solo, porque le fue mal, por lo que quieras. Nosotros somos tres y no somos viejos. Si las acorralamos en la cueva, porque yo creo que es una sola cueva y no muchas, las fumigamos hasta hacerlas salir. Laura nos va a cortar esa piel de vaca para envolvernos bien las piernas arriba de las botas. Y con la plata podemos seguir al norte.

—Por las dudas llevamos todos los cartuchos —le dice Illa a Laura—. Si tu marido tiene razón habrá ratas de sobra para llenar diez jaulas, y las otras que se pudran a tiro limpio, carajo.

—El viejo Millán también llevaba la escopeta —dice Yarará—. Pero claro, era viejo y estaba solo.

Saca el cuchillo y lo prueba en un dedo, va a descolgar la piel de vaca y empieza a cortarla en tiras regulares. Lo va a hacer mejor que Laura, las mujeres no saben manejar cuchillos.

El zaino tira siempre hacia la izquierda, aunque el tobiano aguanta y la carreta sigue abriendo una vaga huella, derecho al norte en los pastizales; Yarará tiende más las riendas, le grita al zaino que sacude la cabeza como protestando. Ya casi no hay luz cuando llegan al pie del farallón, pero de lejos han visto la entrada de la cueva dibujándose en la piedra blanca; dos o tres ratas los han olido y se esconden en la cueva mientras ellos bajan las jaulas de alambre y las disponen en semicírculo cerca de la entrada. El pardo Illa corta pasto seco a machetazos, bajan estopa y kerosene de la carreta y Lozano va hasta la cueva, se da cuenta de que puede entrar agachando apenas la cabeza. Los otros le gritan que no sea loco, que se quede afuera; ya la linterna recorre las paredes buscando el túnel más profundo por el que no se puede pasar, el agujero negro y moviente de puntos rojos que el haz de luz agita y revuelve.

—¿Qué hacés ahí? —le llega la voz de Yarará—. ¡Salí, carajo!

—Satarsa —dice Lozano en voz baja, hablándole al agujero desde donde lo miran los ojos en torbellino—. Salí vos, Satarsa, salí rey de las ratas, vos y yo solos, vos y yo y Laurita, hijo de puta.

—¡Lozano!

—Ya voy, nene —dice despacio Lozano. Elige un par de ojos más adelantados, los mantiene bajo el haz de luz, saca el revólver y tira. Un remolino de chispas rojas y de golpe nada, capaz que ni siquiera le dio. Ahora solamente el humo, salir de la cueva y ayudar a Illa que amontona el pasto y la estopa, el viento los ayuda; Yarará acerca un fósforo y los tres esperan al lado de las jaulas; Illa ha dejado un pasaje bien marcado para que las ratas puedan escapar de la trampa sin quemarse, para enfrentarlas justo delante de las jaulas abiertas.

—¿Y a esto le tenían miedo los de Calagasta? —dice Yarará—. Capaz que el viejo Millán se murió de otra cosa y se lo comieron ya fiambre.

—No te fíes —dice Illa.

Una rata salta afuera y la horquilla de Lozano la atrapa por el cuello, el lazo la levanta en el aire y la tira en la jaula; a Yarará se le escapa la que sigue, pero ahora salen de a cuatro o cinco, se oyen los chillidos en la cueva y apenas tienen tiempo de atrapar a una cuando ya cinco o seis resbalan como víboras buscando evitar las jaulas y perderse en el pastizal. Un río de ratas sale como un vómito rojizo, allí donde se clavan las horquillas hay una presa, las jaulas se van llenando de una masa convulsa, las sienten

contra las piernas, siguen saliendo montadas las unas
sobre las otras, destrozándose a dentelladas para escapar al calor del último trecho, desbandándose en la
oscuridad. Lozano, como siempre, es el más rápido, ya
ha llenado una jaula y va por la mitad de la otra, Illa
suelta un grito ahogado y levanta una pierna, hunde
la bota en una masa moviente, la rata no quiere soltar
y Yarará con su horquilla la atrapa y la enlaza, Illa
putea y mira la piel de vaca como si la rata estuviera
todavía mordiendo. Las más enormes salen al final,
ya no parecen ratas y es difícil hundirles la horquilla
en el pescuezo y levantarlas en el aire; el lazo de
Yarará se rompe y una rata escapa arrastrando el
pedazo de cuero, pero Lozano grita que no importa,
que apenas falta una jaula, entre Illa y él la llenan y
la cierran a golpes de horquilla, empujan los pasado-
res, con ganchos de alambre las alzan y las suben a la
carreta y los caballos se espantan y Yarará tiene que
sujetarlos por el bocado, hablarles mientras los otros
trepan al pescante. Ya es noche cerrada y el fuego
empieza a apagarse.

Los caballos huelen las ratas y al principio
hay que darles rienda, se largan al galope como queriendo hacer pedazos la carreta, Yarará tiene que
sofrenarlos y hasta Illa ayuda, cuatro manos en las
riendas hasta que el galope se rompe y vuelven a un
trote intermitente, la carreta se desvía y las ruedas se
enredan en piedras y malezas, atrás las ratas chillan y
se destrozan, de las jaulas viene ya el olor a sebo, a
mierda líquida, los caballos lo huelen y relinchan
defendiéndose del bocado, queriendo zafarse y escapar, Lozano junta las manos con las de los otros en
las riendas y ajustan poco a poco la marcha, coronan
el monte pelado y ven asomar el valle, Calagasta con

tres o cuatro luces apenas, la noche sin estrellas, a la izquierda la lucecita del rancho en medio del campo como hueco, alzándose y bajando con las sacudidas de la carreta, apenas quinientos metros, perdiéndose de golpe cuando la carreta entra en la maleza donde el sendero es puro latigazo de espinas contra las caras, la huella apenas visible que los caballos encuentran mejor que las seis manos aflojando poco a poco las riendas, las ratas aullando y revolcándose a cada sacudida, los caballos resignados, pero tirando como si quisieran llegar ya, estar ya ahí donde los van a soltar de ese olor y esos chillidos para dejarlos irse al monte y encontrarse con su noche, dejar atrás eso que los sigue y los acosa y los enloquece.

—Te vas volando a buscar a Porsena —le dice Lozano a Yarará—, que venga en seguida a contarlas y a darnos la plata, hay que arreglar para salir de madrugada con el camión.

El primer tiro parece casi en broma, débil y aislado, Yarará no ha tenido tiempo de contestarle a Lozano cuando la ráfaga llega con un ruido de caña seca rompiéndose en mil pedazos contra el suelo, una crepitación apenas más fuerte que los chillidos de las jaulas, un golpe de costado y la carreta desviándose a la maleza, el zaino a la izquierda queriendo arrancarse a los tirones y doblando las manos, Lozano y Yarará saltando al mismo tiempo, Illa del otro lado, aplastándose en la maleza mientras la carreta sigue con las ratas aullando y se para a los tres metros, el zaino pateando en el suelo, todavía sostenido a medias por el eje de la carreta, el tobiano relinchando y debatiéndose sin poder moverse.

—Cortate por ahí —le dice Lozano a Yarará.

—Pa qué mierda —dice Yarará—. Llegaron antes, ya no vale la pena.

Illa se les reúne, alza el revólver y mira la maleza como buscando un claro. No se ve la luz del rancho, pero saben que está ahí, justo detrás de la maleza, a cien metros. Oyen las voces, una que manda a gritos, el silencio y la nueva ráfaga, los chicotazos en la maleza, otra buscándolos más abajo a puro azar, les sobran balas a los hijos de puta, van a tirar hasta cansarse. Protegidos por la carreta y las jaulas, por el caballo muerto y el otro que se debate como una pared moviente, relinchando hasta que Yarará le apunta a la cabeza y lo liquida, pobre tobiano tan guapo, tan amigo, la masa resbalando a lo largo del timón y apoyándose en las arcas del zaino, que todavía se sacude de tanto en tanto, las ratas delatándolos con chillidos que rompen la noche, ya nadie las hará callar, hay que abrirse hacia la izquierda, nadar brazada a brazada en la maleza espinosa, echando hacia adelante las escopetas y apoyándose para ganar medio metro, alejarse de la carreta donde ahora se concentra el fuego, donde las ratas aúllan y claman como si entendieran, como vengándose, no se puede atar a las ratas, piensa Illa, tenías razón mi jefe, me cago en tus jueguitos, pero tenías razón, puta que te parió con tu Satarsa, cuánta razón tenías, conchetumadre.

Aprovechar que la maleza se adelgaza, que hay diez metros en que es casi pasto, un hueco que se puede franquear revolcándose de lado, las viejas técnicas, rodar y rodar hasta meterse en otro pastizal tupido, levantar bruscamente la cabeza para abarcarlo todo en un segundo y esconderse de nuevo, la lucecita del rancho y las siluetas moviéndose, el reflejo instantáneo de un fusil, la voz del que da órdenes a gritos, la balacera contra la carreta que grita y aúlla en la maleza. Lozano no mira de lado ni hacia atrás, ahí hay solamente silencio, hay Illa y Yarará muertos o acaso como él resbalando todavía entre las matas y buscando un refugio, abriendo picada con el ariete del cuerpo, quemándose la cara contra las espinas, ciegos y ensangrentados topos alejándose de las ratas, porque ahora sí son las ratas, Lozano las está viendo antes de sumirse de nuevo en la maleza, de la carreta llegan los chillidos cada vez más rabiosos pero las otras ratas no están ahí, las otras ratas le cierran el camino entre la maleza y el rancho, y aunque la luz sigue encendida en el rancho, Lozano sabe ya que Laura y Laurita no están ahí, o están ahí pero ya no son Laura y Laurita ahora que las ratas han llegado al rancho y han tenido todo el tiempo que necesitaban para hacer lo que habrán hecho, para esperarlo como lo están esperando entre el rancho y la carreta, tirando una ráfaga tras otra, mandando y obedeciendo y tirando ahora que ya no tiene sentido llegar al rancho, y sin embargo otro metro, otro revolcón que le llena las manos de espinas hirvientes, la cabeza asomándose para mirar, para ver a Satarsa, saber que ése que grita instrucciones es Satarsa y todos los otros son Satarsa y enderezarse y tirar la inútil andanada de perdigones contra Satarsa, que bruscamente gira hacia él y se tapa la cara con las manos y cae hacia atrás, alcanzado por los perdigones que le han llegado a los ojos, le han reventado la boca, y Lozano tirando el otro cartucho contra el que vuelve la ametralladora hacia él y el blando estampido de la escopeta ahogado por la crepitación de la ráfaga, las malezas aplastándose bajo el peso de Lozano que cae de boca entre las espinas que se le hunden en la cara, en los ojos abiertos.

La escuela de noche

De Nito ya no sé nada ni quiero saber. Han pasado tantos años y cosas, a lo mejor todavía está allá o se murió o anda afuera. Más vale no pensar en él, solamente que a veces sueño con los años treinta en Buenos Aires, los tiempos de la escuela normal y claro, de golpe Nito y yo la noche en que nos metimos en la escuela, después no me acuerdo mucho de los sueños, pero algo queda siempre de Nito como flotando en el aire, hago lo que puedo para olvidarme, mejor que se vaya borrando de nuevo hasta otro sueño, aunque no hay nada que hacerle, cada tanto es así, cada tanto todo vuelve como ahora.

La idea de meterse de noche en la escuela anormal (lo decíamos por jorobar y por otras razones más sólidas) la tuvo Nito, y me acuerdo muy bien que fue en *La Perla* del Once y tomándonos un cinzano con bitter. Mi primer comentario consistió en decirle que estaba más loco que una gallina, pesealokual —así escribíamos entonces, desortografiando el idioma por algún deseo de venganza que también tendría que ver con la escuela—, Nito siguió con su idea y dale conque la escuela de noche, sería tan macanudo meternos a explorar, pero qué vas a explorar si la tenemos más que manyada, Nito, y, sin embargo, me gustaba la idea, se la discutía por puro pelearlo, lo iba dejando acumular puntos poco a poco.

En algún momento empecé a aflojar con elegancia, porque también a mí la escuela no me parecía tan manyada, aunque lleváramos allí seis años y medio de yugo, cuatro para recibirnos de maestros y casi tres para el profesorado en letras, aguantándonos materias tan increíbles como Sistema Nervioso, Dietética y Literatura Española, esta última la más increíble, porque en el tercer trimestre no habíamos salido ni saldríamos del Conde Lucanor. A lo mejor por eso, por la forma en que perdíamos el tiempo, la escuela nos parecía medio rara a Nito y a mí, nos daba la impresión de faltarle algo que nos hubiera gustado conocer mejor. No sé, creo que también había otra cosa, por lo menos para mí la escuela no era tan normal como pretendía su nombre, sé que Nito pensaba lo mismo y me lo había dicho a la hora de la primera alianza, en los remotos días de un primer año lleno de timidez, cuadernos y compases. Ya no hablábamos de eso después de tantos años, pero esa mañana en *La Perla* sentí como si el proyecto de Nito viniera de ahí y que por eso me iba ganando poco a poco; como si antes de acabar el año y darle para siempre la espalda a la escuela tuviéramos que arreglar todavía una cuenta con ella, acabar de entender cosas que se nos habían escapado, esa incomodidad que Nito y yo sentíamos de a ratos en los patios o las escaleras y yo sobre todo cada mañana cuando veía las rejas de la entrada, un leve apretón en el estómago desde el primer día al franquear esa reja pinchuda, tras de la cual se abría el peristilo solemne y empezaban los corredores con su color amarillento y la doble escalera.

—Hablando de reja, la cosa es esperar hasta medianoche —había dicho Nito— y treparse ahí donde me tengo vistos dos pinchos doblados, con poner un poncho basta y sobra.

—Facilísimo —había dicho yo—, justo entonces aparece la cana en la esquina o alguna vieja de enfrente pega el primer alarido.

—Vas demasiado al cine, Toto. ¿Cuándo viste a alguien por ahí a esa hora? El músculo duerme, viejo.

De a poco me iba dejando tentar, seguro que era idiota y que no pasaría nada ni afuera ni adentro, la escuela sería la misma escuela de la mañana, un poco frankenstein en la oscuridad si querés, pero nada más, qué podía haber ahí de noche aparte de bancos y pizarrones y algún gato buscando lauchas, que eso sí había. Pero Nito dale con lo del poncho y la linterna, hay que decir que nos aburríamos bastante en esa época en que a tantas chicas las encerraban todavía bajo doble llave marca papá y mamá, tiempos bastantes austeros a la fuerza, no nos gustaban demasiado los bailes ni el fútbol, leíamos como locos de día pero a la noche vagábamos los dos —a veces con Fernández López, que murió tan joven— y nos conocíamos Buenos Aires y los libros de Castelnuovo y los cafés del bajo y el dock sur, al fin y al cabo no parecía tan ilógico que también quisiéramos entrar en la escuela de noche, sería completar algo incompleto, algo para guardar en secreto y por la mañana mirar a los muchachos y sobrarlos, pobres tipos cumpliendo el horario y el Conde Lucanor de ocho a mediodía.

Nito estaba decidido, si yo no quería acompañarlo saltaría solo un sábado a la noche, me explicó que había elegido el sábado porque si algo no andaba bien y se quedaba encerrado tendría tiempo para encontrar alguna otra salida. Hacía años que la idea lo rondaba, quizá desde el primer día cuando la escuela era todavía un mundo desconocido y los pibes de primer año nos quedábamos en los patios de abajo, cerca del aula como pollitos. Poco a poco habíamos ido avanzando por corredores y escaleras hasta hacernos una idea de la enorme caja de zapatos amarilla con sus columnas, sus mármoles y ese olor a jabón mezclado con el ruido de los recreos y el ronroneo de las horas de clase, pero la familiaridad no nos había quitado del todo eso que la escuela tenía de territorio diferente, a pesar de la costumbre, los compañeros, las matemáticas. Nito se acordaba de pesadillas donde cosas instantáneamente borradas por un despertar violento habían sucedido en galerías de la escuela, en el aula de tercer año, en las escaleras de mármol; siempre de noche, claro, siempre él solo en la escuela petrificada por la noche, y eso Nito no alcanzaba a olvidarlo por la mañana, entre cientos de muchachos y de ruidos. Yo, en cambio, nunca había soñado con la escuela, pero lo mismo me descubría pensando cómo sería con luna llena, los patios de abajo, las galerías altas, imaginaba una claridad de mercurio en los patios vacíos, la sombra implacable de las columnas. A veces lo descubría a Nito en algún recreo, apartado de los otros y mirando hacia lo alto donde las barandillas de las galerías dejaban ver cuerpos truncos, cabezas y torsos pasando de un lado a otro, más abajo pantalones y zapatos que no siempre parecían pertenecer al mismo alumno. Si me tocaba subir solo la gran escalera de mármol, cuando todos estaban en clase, me sentía como abandonado, trepaba o bajaba de a dos los peldaños, y creo que por eso mismo volvía a pedir permiso unos días después para salir de clase y repetir algún itinerario con el aire del que va a buscar una caja de tiza o el cuarto de baño. Era como en el cine, la delicia de un suspenso idiota, y por eso creo que me defendí tan mal del proyecto de Nito, de su idea de ir a hacerle frente a la escuela; meternos allí de noche no se me hubiera ocurrido nunca, pero Nito había pensado por los dos y estaba bien, merecíamos ese segundo cinzano que no tomamos porque no teníamos bastante plata.

Los preparativos fueron simples, conseguí una linterna y Nito me esperó en el Once con el bulto de un poncho bajo el brazo; empezaba a hacer calor ese fin de semana, pero no había mucha gente en la plaza, doblamos por Urquiza casi sin hablar, y cuando estuvimos en la cuadra de la escuela miré atrás y Nito tenía razón, ni un gato que nos viera. Solamente entonces me di cuenta de que había luna, no lo habíamos buscado pero no sé si nos gustó, aunque tenía su lado bueno para recorrer las galerías sin usar la linterna.

Dimos la vuelta a la manzana para estar bien seguros, hablando del director que vivía en la casa pegada a la escuela y que comunicaba por un pasillo en los altos para que pudiera llegar directamente a su despacho. Los porteros no vivían allí y estábamos seguros de que no había ningún sereno, qué hubiera podido cuidar en la escuela en la que nada era valioso, el esqueleto medio roto, los mapas a jirones, la secretaría con dos o tres máquinas de escribir que parecían pterodáctilos. A Nito se le ocurrió que podía haber algo valioso en el despacho del director, ya una vez lo habíamos visto cerrar con llave al irse a dictar su clase de matemáticas, y eso con la escuela repleta de gente o a lo mejor precisamente por eso. Ni a Nito ni a mí ni a nadie le gustaba el director, más conocido por el Rengo; que fuera severo y nos zampara amonestaciones y expulsiones por cualquier cosa era menos una razón que algo en su cara de pájaro embalsamado, su manera de llegar sin que nadie lo viera y asomarse a una clase como si la condena estuviera pronunciada de antemano. Uno o dos profesores amigos (el de música, que nos contaba cuentos verdes, el de sistema nervioso que se daba cuenta de la idiotez de enseñar eso en un profesorado en letras) nos habían dicho que el Rengo no solamente era un solterón convicto y confeso, sino que enarbolaba una misoginia agresiva, razón por la cual en la escuela no habíamos tenido ni una sola profesora. Pero justamente ese año el ministerio debía haberle hecho comprender que todo tenía su límite, porque nos mandaron a la señorita Maggi que les enseñaba química orgánica a los del profesorado en ciencias. La pobre llegaba siempre a la escuela con un aire medio asustado, Nito y yo nos imaginábamos la cara del Rengo cuando se la encontraba en la sala de profesores. La pobre señorita Maggi entre cientos de varones, enseñando la fórmula de la glicerina a los reos de séptimo ciencias.

—Ahora —dijo Nito.

Casi meto la mano en un pincho, pero pude saltar bien, la primera cosa era agacharse por si a alguien le daba por mirar desde las ventanas de la casa de enfrente, y arrastrarse hasta encontrar una protección ilustre, el basamento del busto de Van Gelderen, holandés y fundador de la escuela. Cuando llegamos al peristilo estábamos un poco sacudidos por el escalamiento y nos dio un ataque de risa nerviosa. Nito dejó el poncho disimulado al pie de una columna, y tomamos a la derecha siguiendo el pasillo que llevaba al primer codo de donde nacía la escalera. El olor a escuela se multiplicaba con el calor, era raro ver las aulas cerradas y fuimos a tantear una de las puertas; por supuesto, los gallegos porteros no las habían cerrado con llave y entramos un momento en el aula donde seis años antes habíamos empezado los estudios.

—Yo me sentaba ahí.

—Y yo detrás, no me acuerdo si ahí o más a la derecha.

—Mirá, se dejaron un globo terráqueo.

—¿Te acordás de Gazzano, que nunca encontraba el Africa?

Daban ganas de usar las tizas y dejar dibujos en el pizarrón, pero Nito sintió que no había venido para jugar, o que jugar era una manera de no admitir que el silencio los envolvía demasiado, como un eco de música, reverberando apenas en la caja de la escalera; también oímos una frenada de tranvía, después nada. Se podía subir sin necesidad de la linterna, el mármol parecía estar recibiendo directamente la luz de la luna, aunque el piso alto la aislara de ella. Nito se paró a mitad de la escalera para convidarme con un cigarrillo y encender otro; siempre elegía los momentos más absurdos para empezar a fumar.

Desde arriba miramos el patio de la planta baja, cuadrado como casi todo en la escuela, incluidos los cursos. Seguimos por el corredor que lo circundaba, entramos en una o dos aulas y llegamos al primer codo donde estaba el laboratorio; ése sí los gallegos lo habían cerrado con llave, como si alguien pudiera venir a robarse las probetas rajadas y el microscopio del tiempo de Galileo. Desde el segundo corredor vimos que la luz de la luna caía de lleno sobre el corredor opuesto donde estaba la secretaría, la sala de profesores y el despacho del Rengo. El primero en tirarme al suelo fui yo, y Nito un segundo después porque habíamos visto al mismo tiempo las luces en la sala de profesores.

—La puta madre, hay alguien ahí.

—Rajemos, Nito.

—Esperá, a lo mejor se les quedó prendida a los gallegos.

No sé cuánto tiempo pasó, pero ahora nos dábamos cuenta de que la música venía de ahí, parecía tan lejana como en la escalera, pero la sentíamos venir del corredor de enfrente, una música como de orquesta de cámara con todos los instrumentos en sordina. Era tan impensable que nos olvidamos del miedo o él de nosotros, de golpe había como una razón para estar ahí y no el puro romanticismo de Nito. Nos miramos sin hablar, y él empezó a moverse gateando y pegado a la barandilla hasta llegar al codo del tercer corredor. El olor a pis de las letrinas contiguas había sido como siempre más fuerte que los esfuerzos combinados de los gallegos y la acaroína. Cuando nos arrastramos hasta quedar al lado de las puertas de nuestra aula, Nito se volvió y me hizo seña de que me acercara más: —¿Vamos a ver?

Asentí, puesto que ser loco parecía lo único razonable en ese momento, y seguimos a gatas, cada vez más delatados por la luna. Casi no me sorprendí cuando Nito se enderezó, fatalista, a menos de cinco metros del último corredor donde las puertas apenas entornadas de la secretaría y la sala de profesores dejaban pasar la luz. La música había subido bruscamente, o era la menor distancia; oímos rumor de voces, risas, unos vasos entrechocándose. Al primero que vimos fue a Raguzzi, uno de séptimo ciencias, campeón de atletismo y gran hijo de puta, de esos que se abrían paso a fuerza de músculos y compadradas. Nos daba la espalda, casi pegado a la puerta, pero de golpe se apartó y la luz vino como un látigo cortado por sombras movientes, un ritmo de machicha y dos parejas que pasaban bailando. Gómez, que yo no conocía mucho, bailaba con una mina de verde, y el otro podía ser Kurchin, de quinto letras, un chiquito con cara de chancho y anteojos, que se prendía a un hembrón de pelo renegrido con traje largo y collares de perlas. Todo eso sucedía ahí, lo estábamos viendo y oyendo, pero naturalmente no podía ser, casi no podía ser que sintiéramos una mano que se apoyaba despacito en nuestros hombros, sin forzar.

—Ushtedes no shon invitados —dijo el gallego Manolo—, pero ya que eshtán vayan entrando y no she hagan los locos.

El doble empujón nos tiró casi contra otra pareja que bailaba, frenamos en seco y por primera vez vimos el grupo entero, unos ocho o diez, la victrola con el petiso Larrañaga ocupándose de los discos, la mesa convertida en bar, las luces bajas, las caras que empezaban a reconocernos sin sorpresa, todos debían pensar que habíamos sido invitados, y hasta Larrañaga nos hizo un gesto de bienvenida. Como siempre Nito fue el más rápido, en tres pasos estuvo contra una de las paredes laterales y yo me le apilé, pegados como cucarachas contra la pared empezamos a ver de veras, a aceptar eso que estaba pasando ahí. Con las luces y la gente la sala de profesores parecía el doble de grande, había cortinas verdes que yo nunca había sospechado cuando de mañana pasaba por el corredor y le echaba una ojeada a la sala para ver si ya había llegado Migoya, nuestro terror en la clase de lógica. Todo tenía un aire como de club, de cosa organizada para los sábados a la noche, los vasos y los ceniceros, la victrola y las lámparas que sólo alumbraban lo necesario, abriendo zonas de penumbra que agrandaban la sala.

Vaya a saber cuánto tardé en aplicar a lo que nos estaba pasando un poco de esa lógica que nos enseñaba Migoya, pero Nito era siempre el más rápido, una ojeada le había bastado para identificar a los condiscípulos y al profesor Iriarte, darse cuenta de que las mujeres eran muchachos disfrazados, Perrone y Macías y otro de séptima ciencias, no se acordaba del nombre. Había dos o tres con antifaces, uno de ellos vestido de hawaiana y gustándole a juzgar por los contoneos que le hacía a Iriarte. El gallego Fernando se ocupaba del bar, casi todo el mundo tenía vasos en las manos, ahora venía un tango por la orquesta de Lomuto, se armaban parejas, los muchachos sobrantes se ponían a bailar entre ellos, y no me sorprendió demasiado que Nito me agarrara de la cintura y me empujara hacia el medio.

—Si nos quedamos parados aquí se va a armar —me dijo—. No me pisés los pies, desgraciado.

—No sé bailar —le dije, aunque él bailaba peor que yo. Estábamos en la mitad del tango y Nito miraba de cuando en cuando hacia la puerta entornada, me había ido llevando despacio para aprovechar la primera de cambio, pero se dio cuenta de que el gallego Manolo estaba todavía ahí, volvimos al centro y hasta intentamos cambiar chistes con Kurchin y Gómez que bailaban juntos. Nadie se dio cuenta de que se estaba abriendo la doble puerta que comunicaba con la antesala del despacho del Rengo, pero el petiso Larrañaga paró el disco en seco y nos quedamos mirando, sentí que el brazo de Nito temblaba en mi cintura antes de soltarme de golpe.

Soy tan lento para todo, ya Nito se había dado cuenta cuando empecé a descubrir que las dos mujeres paradas en las puertas y teniéndose de la mano eran el Rengo y la señorita Maggi. El disfraz del Rengo era tan exagerado que dos o tres aplaudieron tímidamente, pero después solamente hubo un silencio de sopa enfriada, algo como un hueco en el tiempo. Yo había visto travestís en los cabarets del bajo, pero una cosa así nunca, la peluca pelirroja, las pestañas de cinco centímetros, los senos de goma temblando bajo una blusa salmón, la pollera de pliegues y los tacos como zancos. Llevaba los brazos llenos de pul-

seras, y eran brazos depilados y blanqueados, los ani-
llos parecían pasearse por sus dedos ondulantes, ahora
había soltado la mano de la señorita Maggi y con un
gesto de una infinita mariconería se inclinaba para pre-
sentarla y darle paso. Nito se estaba preguntando por
qué la señorita Maggi seguía pareciéndose a ella misma a pesar de la peluca rubia, el pelo estirado hacia
atrás, la situeta apretada en un largo traje blanco. La
cara estaba apenas maquillada, tal vez las cejas un
poco más dibujadas, pero era la cara de la señorita
Maggi y no el pastel de frutas del Rengo con el
rimmel y el rouge y el flequillo pelirrojo. Los dos
avanzaron saludando con una cierta frialdad casi
condescendiente, el Rengo nos echó una ojeada acaso
sorprendida, pero que pareció cambiarse por una aceptación distraída, como si ya alguien lo hubiera pre-
venido.

—No se dio cuenta, che —le dije a Nito lo
más bajo que pude.

—Tu abuela —dijo Nito—, vos te creés que
no ve que estamos vestidos como reos en este am-
biente.

Tenía razón, nos habíamos puesto pantalones
viejos por lo de la reja, yo estaba en mangas de camisa
y Nito tenía un pulóver liviano con una manga más
bien perforada en un codo. Pero el Rengo ya estaba
pidiendo que le dieran una copita no demasiado fuerte, se la pedía al gallego Fernando con unos gestos
de puta caprichosa mientras la señorita Maggi reclamaba un whisky más seco que la voz con que se lo
pedía al gallego. Empezaba otro tango y todo el mundo se largó a bailar, nosotros los primeros de puro
pánico y los recién llegados junto con los demás, la
señorita Maggi manejando al Rengo a puro juego de
cintura. Nito hubiera querido acercarse a Kurchin para
tratar de sacarle algo, con Kurchin teníamos más trato

que con los otros, pero era difícil en ese momento en que las parejas se cruzaban sin rozarse y nunca quedaba espacio libre por mucho tiempo. Las puertas que daban a la sala de espera del Rengo seguían abiertas, y cuando nos acercamos en una de las vueltas, Nito vio que también la puerta del despacho estaba abierta y que adentro había gente hablando y bebiendo. De lejos reconocimos a Fiori, un pesado de sexto letras, disfrazado de militar, y a lo mejor esa morocha de pelo caído en la cara y caderas sinuosas era Moreira, uno de quinto letras que tenía fama de lo que te dije.

Fiori vino hacia nosotros antes de que pudiéramos esquivarnos, con el uniforme parecía mucho mayor y Nito creyó verle canas en el pelo bien planchado, seguro que se había puesto talco para tener más pinta.

—Nuevos, eh —dijo Fiori—. ¿Ya pasaron por oftalmología?

La respuesta debíamos tenerla escrita en la cara y Fiori se nos quedó mirando un momento, nos sentíamos cada vez más como reclutas delante de un teniente compadrón.

—Por allá —dijo Fiori, mostrando con la mandíbula una puerta lateral entornada—. En la próxima reunión me traen el comprobante.

—Sí señor —dijo Nito, empujándome a lo bruto. Me hubiera gustado reprocharle el sí señor tan lacayo, pero Moreira (ahora sí, ahora seguro que era Moreira) se nos apiló antes de que llegáramos a la puerta y me agarró de la mano.

—Vení a bailar a la otra pieza, rubio, aquí son tan aburridos.

—Después —dijo Nito por mí—. Volvemos en seguida.

—Ay, todos me dejan sola esta noche.

Pasé el primero, deslizándome no sé por qué en vez de abrir del todo la puerta. Pero los por qué nos faltaban a esa altura, Nito que me seguía callado miraba el largo zaguán en penumbras y era otra vez cualquiera de las pesadillas que tenía con la escuela, ahí donde nunca había un por qué, donde solamente se podía seguir adelante, y el único por qué posible era una orden de Fiori, ese cretino vestido de milico que de golpe se sumaba a todo lo otro y nos daba una orden, valía como una orden pura que debíamos obedecer, un oficial mandando y andá a pedir razones. Pero esto no era una pesadilla, yo estaba a su lado y las pesadillas no se sueñan de a dos.

—Rajemos, Nito —le dije en la mitad del zaguán—. Tiene que haber una salida, esto no puede ser.

—Sí, pero esperá, me trinca que nos están espiando.

—No hay nadie, Nito.

—Por eso mismo, huevón.

—Pero Nito, esperá un poco, parémonos aquí. Yo tengo que entender lo que pasa, no te das cuenta de que...

—Mirá —dijo Nito, y era cierto, la puerta por donde habíamos pasado estaba ahora abierta de par en par y el uniforme de Fiori se recortaba clarito. No había ninguna razón para obedecer a Fiori, bastaba volver y apartarlo de un empujón como tantas veces nos empujábamos por broma o en serio en los recreos. Tampoco había ninguna razón para seguir adelante hasta ver dos puertas cerradas, una lateral y otra de frente, y que Nito se metiera por una y se diera cuenta demasiado tarde de que yo no estaba con él, que estúpidamente había elegido la otra puerta por error o por pura bronca. Imposible dar media vuelta y salir a buscarme, la luz violeta del salón y las caras mirán-

dolo lo fijaban de golpe en eso que abarcó de una sola
ojeada, el salón con el enorme acuario en el centro
alzando su cubo transparente hasta el cielo raso, dejando apenas lugar para los que pegados a los cristales
miraban el agua verdosa, los peces resbalando lentamente, todo en un silencio que era como otro acuario
exterior, un petrificado presente con hombres y mujeres (que eran hombres que eran mujeres) pegándose
a los cristales, y Nito diciéndose ahora, ahora volver
atrás, Toto imbécil dónde te metiste, huevón, queriendo dar media vuelta y escaparse, pero de qué si
no pasaba nada, si se iba quedando inmóvil como
ellos y viéndolos mirar los peces y reconociendo a
Mutis, a la Chancha Delucía, a otros de sexto letras,
preguntándose por qué eran ellos y no otros, como
ya se había preguntado por qué tipos como Raguzzi
y Fiori y Moreira, por qué justamente los que no
eran nuestros amigos por la mañana, los extraños y
los mierdas, por qué ellos y no Láinez o Delich o
cualquiera de los compañeros de charlas o vagancias
o proyectos, por qué entonces Toto y él entre esos
otros aunque fuera culpa de ellos por meterse de
noche en la escuela y esa culpa los juntara con todos
esos que de día no aguantaban, los peores hijos de
puta de la escuela, sin hablar del Rengo y del chupa-
medias de Iriarte y hasta de la señorita Maggi también ahí, quién lo hubiera dicho pero también ella,
ella la única mujer de veras entre tantos maricones y
desgraciados.

Entonces ladró un perro, no era un ladrido
fuerte pero rompió el silencio y todos se volvieron
hacia el fondo invisible del salón, Nito vio que de la
bruma violeta salía Caletti, uno de quinto ciencias,
con los brazos en alto venía desde el fondo como resbalando entre los otros, sosteniendo en alto un perrito
blanco que volvía a ladrar debatiéndose, las patas ata-

das con una cinta roja y de la cinta colgando algo como un pedazo de plomo, algo que lo sumergió lentamente en el acuario donde Caletti lo había tirado de un solo envión, Nito vio al perro bajando poco a poco entre convulsiones, tratando de liberar las patas y volver a la superficie, lo vio empezar a ahogarse con la boca abierta y echando burbujas, pero antes de que se ahogara los peces ya estaban mordiéndolo, arrancándole jirones de piel, tiñendo de rojo el agua, la nube cada vez más espesa en torno al perro que todavía se agitaba entre la masa hirviente de peces y de sangre.

Todo eso yo no podía verlo porque detrás de la puerta que creo se cerró sola no había más que negro, me quedé paralizado sin saber qué hacer, detrás no se oía nada, entonces Nito, dónde estaba Nito. Dar un paso adelante en esa oscuridad o quedarme ahí clavado era el mismo espanto, de golpe sentir el olor, un olor a desinfectante, a hospital, a operación de apendicitis, casi sin darme cuenta de que los ojos se iban acostumbrando a la tiniebla y que no era tiniebla, ahí en el fondo había una o dos lucecitas, una verde y después una amarilla, la silueta de un armario y de un sillón, otra silueta que se desplazaba vagamente avanzando desde otro fondo más profundo.

—Venga, m'hijito —dijo la voz—. Venga hasta aquí, no tenga miedo.

No sé cómo pude moverme, el aire y el suelo eran como una misma alfombra esponjosa, el sillón con palancas cromadas y los aparatos de cristal y las lucecitas; la peluca rubia y planchada y el vestido blanco de la señorita Maggi fosforecían vagamente. Una mano me tomó por el hombro y me empujó hacia adelante, la otra mano se apoyó en mi nuca y me obligó a sentarme en el sillón, sentí en la frente el frío de un vidrio mientras la señorita Maggi me ajustaba la cabeza entre dos soportes. Casi contra los ojos vi brillar una esfera blanquecina con un pequeño punto rojo en el medio, y sentí el roce de las rodillas de la señorita Maggi que se sentaba en el sillón del lado opuesto de la armazón de cristales. Empezó a manipular palancas y ruedas, me ajustó todavía más la cabeza, la luz iba cambiando al verde y volvía al blanco, el punto rojo crecía y se desplazaba de un lado a otro, con lo que me quedaba de visión hacia arriba alcanzaba a ver como un halo el pelo rubio de la señorita Maggi, teníamos las caras apenas separadas por el cristal con las luces y algún tubo por donde ella debía estar mirándome.

—Quedate quietito y fijate bien en el punto rojo —dijo la señorita Maggi—. ¿Lo ves bien?

—Sí, pero...

—No hablés, quedate quieto, así. Ahora decime cuándo dejás de ver el punto rojo.

Qué sé yo si lo veía o no, me quedé callado mientras ella seguía mirando por el otro lado, de golpe me daba cuenta de que además de la luz central estaba viendo los ojos de la señorita Maggi detrás del cristal del aparato, tenía ojos castaños y por encima seguía ondulando el reflejo incierto de la peluca rubia. Pasó un momento interminablemente corto, se oía como un jadeo, pensé que era yo, pensé cualquier cosa mientras las luces cambiaban poco a poco, se iban concentrando en un triángulo rojizo con bordes violeta, pero a lo mejor no era yo el que respiraba haciendo ruido.

—¿Todavía ves la luz roja?

—No, no la veo, pero me parece que...

—No te muevas, no hablés. Mira bien, ahora.

Un aliento me llegaba desde el otro lado, un perfume caliente a bocanadas, el triángulo empezaba a convertirse en una serie de rayas paralelas, blancas y azules, me dolía el mentón apresado en el soporte de

goma, hubiera querido levantar la cabeza y librarme
de esa jaula en la que me sentía amarrado, la caricia
entre los muslos me llegó como desde lejos, la mano
que me subía entre las piernas y buscaba uno a uno
los botones del pantalón, entraba dos dedos, terminaba de desabotonarme y buscaba algo que no se dejaba
agarrar, reducido a una nada lastimosa hasta que los
dedos lo envolvieron y suavemente lo sacaron fuera
del pantalón, acariciándolo despacio mientras las luces
se volvían más y más blancas y el centro rojo asomaba
de nuevo. Debí tratar de zafarme porque sentí el
dolor en lo alto de la cabeza y el mentón, era imposible salir de la jaula ajustada o tal vez cerrada por detrás, el perfume volvía con el jadeo, las luces bailaban
en mis ojos, todo iba y volvía como la mano de la
señorita Maggi llenándome de un lento abandono interminable.

—Dejate ir —la voz llegaba desde el jadeo,
era el jadeo mismo hablándome—, gozá, chiquito, tenés que darme aunque sea unas gotas para los análisis,
ahora, así, así.

Sentí el roce de un recipiente allí donde todo
era placer y fuga, la mano sostuvo y corrió y apretó
blandamente, casi no me di cuenta de que delante de
los ojos no había más que el cristal oscuro y que el
tiempo pasaba, ahora la señorita Maggi estaba detrás
de mí y me soltaba las correas de la cabeza. Un latigazo de luz amarilla golpeándome mientras me ende-
rezaba y me abrochaba, una puerta del fondo y la
señorita Maggi mostrándome la salida, mirándome
sin expresión, una cara lisa y saciada, la peluca violentamente iluminada por la luz amarilla. Otro se le
hubiera tirado encima ahí nomás, la hubiera abrazado
ahora que no había ninguna razón para no abrazarla
o besarla o pegarle, otro como Fiori o Raguzzi, pero
tal vez nadie lo hubiera hecho y la puerta se le hubiera

cerrado como a mí a la espalda con un golpe seco, dejándome en otro pasadizo que giraba a la distancia y se perdía en su propia curva, en una soledad donde faltaba Nito, donde sentí la ausencia de Nito como algo insoportable y corrí hacia el codo, y cuando vi la única puerta me tiré contra ella y estaba cerrada con llave, la golpeé y oí mi golpe como un grito, me apoyé contra la puerta resbalando poco a poco hasta quedar de rodillas, a lo mejor era debilidad, el mareo después de la señorita Maggi. Del otro lado de la puerta me llegaron la gritería y las risas.

Porque ahí se reía y se gritaba fuerte, alguien había empujado a Nito para hacerlo avanzar entre el acuario y la pared de la izquierda por donde todos se movían buscando la salida, Caletti mostrando el camino con los brazos en alto como había mostrado al perro al entrar, y los otros siguiéndolo entre chillidos y empujones, Nito con alguien atrás que también lo empujaba tratándolo de dormido y de fiaca, no había terminado de pasar la puerta cuando ya el juego empezaba, reconoció al Rengo que entraba por otro lado con los ojos vendados y sostenido por el gallego Fernando y Raguzzi que lo cuidaban de un tropezón o un golpe, los demás ya se estaban escondiendo detrás de los sillones, en un armario, debajo de una cama, Kurchin se había trepado a una silla y de ahí a lo alto de una estantería, mientras los otros se desparramaban en el enorme salón y esperaban los movimientos del Rengo para evadirlo en puntas de pie o llamándolo con voces en falsete para engañarlo, el Rengo se contoneaba y soltaba grititos con los brazos tendidos buscando atrapar a alguno, Nito tuvo que huir hacia una pared y luego esconderse detrás de una mesa con floreros y libros, y cuando el Rengo alcanzó al petiso Larrañaga con un chillido de triunfo, los demás salieron aplaudiendo de los escondites, y el Rengo se sacó

la venda y se la puso a Larrañaga, lo hacía duramente
y apretándole los ojos, aunque el petiso protestaba,
condenándolo a ser el que tenía que buscarlos, la gallina ciega atada con la misma despiadada fuerza con
que habían atado las patas del perrito blanco. Y otra
vez dispersarse entre risas y cuchicheos, el profesor
Iriarte dando saltos, Fiori buscando donde esconderse
sin perder la calma compadrona, Raguzzi sacando
pecho y gritando a dos metros del petiso Larrañaga
que se abalanzaba para no encontrar más que el aire,
Raguzzi de un salto fuera de su alcance gritándole
¡*Me Tarzan, you Jane,* boludo!, el petiso perplejo
dando vueltas y buscando en el vacío, la señorita
Maggi que reaparecía para abrazarse con el Rengo y
reírse de Larrañaga, los dos con grititos de miedo
cuando el petiso se tiró hacia ellos y se escaparon
por un pelo de sus manos tendidas, Nito saltando
hacia atrás y viendo cómo el petiso agarraba por el
pelo a Kurchin que se había descuidado, el alarido
de Kurchin y Larrañaga sacándose la venda pero sin
soltar la presa, los aplausos y los gritos, de golpe silencio porque el Rengo alzaba una mano y Fiori a su
lado se plantaba en posición de firme y daba una orden
que nadie entendió pero era igual, el uniforme de Fiori como la orden misma, nadie se movía, ni siquiera
Kurchin con los ojos llenos de lágrimas, porque Larrañaga casi le arrancaba el pelo, lo mantenía ahí sin
soltarlo.

—Tusa —mandó el Rengo—. Ahora tusa y
caricatusa. Ponelo.

Larrañaga no entendía, pero Fiori le mostró
a Kurchin con un gesto seco, y entonces el petiso le
tiró del pelo obligándolo a agacharse cada vez más, ya
los otros se iban poniendo en fila, las mujeres con
grititos y recogiéndose las polleras, Perrone el primero
y después el profesor Iriarte, Moreira haciéndose la

remilgada, Caletti y la Chancha Delucía, una fila que
llegaba hasta el fondo del salón y Larrañaga sujetando
a Kurchin agachado y soltándolo de golpe cuando el
Rengo hizo un gesto y Fiori ordenó «¡Saltar sin pegar!», Perrone en punta y detrás toda la fila, empezaron a saltar apoyando las manos en la espalda de
Kurchin arqueado como un chanchito, saltaban al ran-
go pero gritando «¡Tusa!», gritando «¡Caricatusa!»
cada vez que pasaban por encima de Kurchin y reha-
cían la fila del otro lado, daban la vuelta al salón y
empezaban de nuevo, Nito casi al final saltando lo
más liviano que podía para no aplastar a Kurchin,
después Macías dejándose caer como una bolsa, oyendo al Rengo que chillaba «¡Saltar y pegar!», y toda
la fila pasó de nuevo por encima de Kurchin, pero
ahora buscando patearlo y golpearlo a la vez que saltaban, ya habían roto la fila y rodeaban a Kurchin,
con las manos abiertas le pegaban en la cabeza, la
espalda, Nito había alzado el brazo cuando vio a
Raguzzi que soltaba la primera patada en las nalgas
de Kurchin que se contrajo y gritó, Perrone y Mutis
le pateaban las piernas mientras las mujeres se ensaña-
ban con el lomo de Kurchin, que aullaba y quería
enderezarse y escapar, pero Fiori se acercaba y lo re-
tenía por el pescuezo gritando «¡Tusa, caricatusa,
pegar y pegar!», algunas manos ya eran puños cayendo sobre los flancos y la cabeza de Kurchin, que
clamaba pidiendo perdón sin poder zafarse de Fiori,
de la lluvia de patadas y trompadas que lo cercaban.
Cuando el Rengo y la señorita Maggi gritaron una
orden al mismo tiempo, Fiori soltó a Kurchin que
cayó de costado, sangrándole la boca, del fondo del
salón vino corriendo el gallego Manolo y lo levantó
como si fuera una bolsa, se lo llevó mientras todos
aplaudían rabiosamente y Fiori se acercaba al Rengo
y a la señorita Maggi como consultándolos.

Nito había retrocedido hasta quedar en el borde del círculo que empezaba a romperse sin ganas, como queriendo seguir el juego o empezar otros, desde ahí vio cómo el Rengo mostraba con el dedo al profesor Iriarte, y a Fiori que se le acercaba y le hablaba, después una orden seca y todos empezaron a formarse en cuadro, de a cuatro en fondo, las mujeres atrás y Raguzzi como adalid del pelotón, mirando furioso a Nito que tardaba en encontrar un lugar cualquiera en la segunda fila. Todo esto lo vi yo clarito mientras el gallego Fernando me traía de un brazo después de haberme encontrado detrás de la puerta cerrada y abrirla para hacerme entrar de un empellón, vi cómo el Rengo y la señorita Maggi se instalaban en un sofá contra la pared, los otros que completaban el cuadro con Fiori y Raguzzi al frente, con Nito pálido entre los de la segunda fila, y el profesor Iriarte que se dirigía al cuadro como en una clase, después de un saludo ceremonioso al Rengo y a la señorita Maggi, yo perdiéndome como podía entre las locas del fondo que me miraban riéndose y cuchicheando hasta que el profesor Iriarte carraspeó y se hizo un silencio que duró no sé hasta cuándo.

—Se procederá a enunciar el decálogo —dijo el profesor Iriarte—. Primera profesión de fe.

Yo lo miraba a Nito como si todavía él pudiera ayudarme, con una estúpida esperanza de que me mostrara una salida, una puerta cualquiera para escaparnos, pero Nito no parecía darse cuenta de que yo estaba ahí detrás, miraba fijamente el aire como todos, inmóvil como todos ahora.

Monótonamente, casi sílaba a sílaba, el cuadro enunció:

—Del orden emana la fuerza, y de la fuerza emana el orden.

—¡Corolario! —mandó Iriarte.

—Obedece para mandar, y manda para obedecer —recitó el cuadro.

Era inútil esperar que Nito se diera vuelta, hasta creo haber visto que sus labios se movían como si se hicieran el eco de lo que recitaban los otros. Me apoyé en la pared, un panel de madera que crujió, y una de las locas, creo que Moreira, me miró alarmada. «Segunda profesión de fe», estaba ordenando Iriarte cuando sentí que eso no era un panel sino una puerta, y que cedía poco a poco mientras yo me iba dejando resbalar en un mareo casi agradable. «Ay, pero qué te pasa, precioso», alcanzó a cuchichear Moreira y ya el cuadro enunciaba una frase que no comprendí, girando de lado pasé al otro lado y cerré la puerta, sentí la presión de las manos de Moreira y Macías que buscaban abrirla y bajé el pestillo que brillaba maravillosamente en la penumbra, empecé a correr por una galería, un codo, dos piezas vacías y a oscuras, con al final otro pasillo que llevaba directamente al corredor sobre el patio en el lado opuesto a la sala de profesores. De todo eso me acuerdo poco, yo no era más que mi propia fuga, algo que corría en la sombra tratando de no hacer ruido, resbalando sobre las baldosas hasta llegar a la escalera de mármol, bajarla de a tres peldaños y sentirme impulsado por esa casi caída hasta las columnas del peristilo donde estaba el poncho y también los brazos abiertos del gallego Manolo cerrándome el paso. Ya lo dije, me acuerdo poco de todo eso, tal vez le hundí la cabeza en pleno estómago o lo barajé de una patada en la barriga, el poncho se me enredó en uno de los pinchos de la reja, pero lo mismo trepé y salté, en la vereda había un gris de amanecer y un viejo andando despacio, el gris sucio del alba y el viejo que se quedó mirándome con una cara de pescado, la boca abierta para un grito que no alcanzó a gritar.

Todo ese domingo no me moví de casa, por suerte me conocían en la familia y nadie hizo preguntas que no hubiera contestado, a mediodía llamé por teléfono a casa de Nito, pero la madre me dijo que no estaba, por la tarde supe que Nito había vuelto pero que ya andaba otra vez afuera, y cuando llamé a las diez de la noche, un hermano me dijo que no sabía dónde estaba. Me asombró que no hubiera venido a buscarme, y cuando el lunes llegué a la escuela me asombró todavía más encontrármelo en la entrada, él que batía todas las marcas en materia de llegadas tarde. Estaba hablando con Delich, pero se separó de él y vino a encontrarme, me estiró la mano y yo se la apreté aunque era raro, era tan raro que nos diéramos la mano al llegar a la escuela. Pero qué importaba si ya lo otro me venía a borbotones, en los cinco minutos que faltaban para la campana teníamos que decirnos tantas cosas, pero entonces vos qué hiciste, cómo te escapaste, a mí me atajó el gallego y entonces, sí, ya sé, estaba diciéndome Nito, no te excités tanto, Toto, dejame hablar un poco a mí. Che, pero es que... Sí, claro, no es para menos. ¿Para menos, Nito, pero vos me estás cachando o qué? Ahora mismo tenemos que subir y denunciarlo al Rengo. Esperá, esperá, no te calentés así, Toto.

Eso seguía, como dos monólogos cada uno por su lado, de alguna manera yo empezaba a darme cuenta de que algo no andaba, de que Nito estaba como en otra cosa. Pasó Moreira y saludó con una guiñada de ojos, de lejos vi a la Chancha Delucía que entraba corriendo, a Raguzzi con su saco deportivo, todos los hijos de puta iban llegando mezclados con los amigos, con Llanes y Alermi que también decían qué tal, viste cómo ganó River, qué te había dicho, pibe, y Nito mirándome y repitiendo aquí no, ahora no, Toto, a la salida hablamos en el café. Pero mirá, mirá, Nito, miralo a Kurchin con la cabeza vendada, yo no me puedo quedar callado, subamos juntos, Nito, o voy solo, te juro que voy solo ahora mismo. No, dijo Nito, y había como otra voz en esa sola palabra, no vas a subir ahora, Toto, primero vamos a hablar vos y yo.

Era él, claro, pero fue como si de repente no lo conociera. Me había dicho que no como podía habérmelo dicho Fiori, que ahora llegaba silbando, de civil por supuesto, y saludaba con una sonrisa sobradora que nunca le había conocido antes. Me pareció como si todo se condensara de golpe en eso, en el no de Nito, en la sonrisa inimaginable de Fiori; era de nuevo el miedo de esa fuga en la noche, de las escaleras más voladas que bajadas, de los brazos abiertos del gallego Manolo entre las columnas.

—¿Y por qué no voy a subir? —dije absurdamente—. ¿Por qué no lo voy a denunciar al Rengo, a Iriarte, a todos?

—Porque es peligroso —dijo Nito—. Aquí no podemos hablar ahora, pero en el café te explico. Yo me quedé más que vos, sabés.

—Pero al final también te escapaste —dije como desde una esperanza, buscándolo como si no lo tuviera ahí delante mío.

—No, no tuve que escaparme, Toto. Por eso te digo que te calles ahora.

—¿Y por qué tengo que hacerte caso? —grité, creo que a punto de llorar, de pegarle, de abrazarlo.

—Porque te conviene —dijo la otra voz de Nito—. Porque no sos tan idiota para no darte cuenta de que si abrís la boca te va a costar caro. Ahora no podés comprender y hay que entrar a clase. Pero te lo repito, si decís una sola palabra te vas a arrepentir toda la vida, si es que estás vivo.

Jugaba, claro, no podía ser que me estuviera diciendo eso, pero era la voz, la forma en que me lo decía, ese convencimiento y esa boca apretada. Como Raguzzi, como Fiori, ese convencimiento y esa boca apretada. Nunca sabré de qué hablaron los profesores ese día, todo el tiempo sentía en la espalda los ojos de Nito clavados en mí. Y Nito tampoco seguía las clases, qué le importaban las clases ahora, esas cortinas de humo del Rengo y de la señorita Maggi para que lo otro, lo que importaba de veras, se fuera cumpliendo poco a poco, así como poco a poco se habían ido enunciando para él las profesiones de fe del decálogo, una tras otra, todo eso que iría naciendo alguna vez de la obediencia al decálogo, del cumplimiento futuro del decálogo, todo eso que había aprendido y prometido y jurado esa noche y que alguna vez se cumpliría para el bien de la patria cuando llegara la hora y el Rengo y la señorita Maggi dieran la orden de que empezara a cumplirse.

Deshoras

Ya no tenía ninguna razón especial para acordarme de todo eso, y aunque me gustaba escribir por temporadas y algunos amigos aprobaban mis versos o mis relatos, me ocurría preguntarme a veces si esos recuerdos de la infancia merecían ser escritos, si no nacían de la ingenua tendencia a creer que las cosas habían sido más de veras cuando las ponía en palabras para fijarlas a mi manera, para tenerlas ahí como las corbatas en el armario o el cuerpo de Felisa por la noche, algo que no se podría vivir de nuevo pero que se hacía más presente como si en el mero recuerdo se abriera paso una tercera dimensión, una casi siempre amarga pero tan deseada contigüidad. Nunca supe bien por qué, pero una y otra vez volvía a cosas que otros habían aprendido a olvidar para no arrastrarse en la vida con tanto tiempo sobre los hombros. Estaba seguro de que entre mis amigos había pocos que recordaran a sus compañeros de infancia como yo recordaba a Doro, aunque cuando escribía sobre Doro no era casi nunca él quien me llevaba a escribir sino otra cosa, algo en que Doro era solamente el pretexto para la imagen de su hermana mayor, la imagen de Sara en aquel entonces en que Doro y yo jugábamos en el patio o dibujábamos en la sala de la casa de Doro.

Tan inseparables habíamos sido en esos tiempos del sexto grado, de los doce o trece años, que no era capaz de sentirme escribiendo separadamente sobre Doro, aceptarme desde fuera de la página y escribiendo sobre Doro. Verlo era verme simultáneamente como Aníbal con Doro, y no hubiera podido recordar nada de Doro si al mismo tiempo no hubiera sentido que Aníbal estaba también ahí en ese momento, que era Aníbal el que había pateado aquella pelota que rompió un vidrio de la casa de Doro una tarde de verano, el susto y las ganas de esconderse o de negar, la aparición de Sara tratándolos de bandidos y mandándolos a jugar al potrero de la esquina. Y con todo eso venía también Bánfield, claro, porque todo había pasado allí, ni Doro ni Aníbal hubieran podido imaginarse en otro pueblo que en Bánfield donde las casas y los potreros eran entonces más grandes que el mundo.

Un pueblo, Bánfield, con sus calles de tierra y la estación del Ferrocarril Sud, sus baldíos que en verano hervían de langostas multicolores a la hora de la siesta, y que de noche se agazapaba como temeroso en torno a los pocos faroles de las esquinas, con una que otra pitada de los vigilantes a caballo y el halo vertiginoso de los insectos voladores en torno a cada farol. A tan poca distancia las casas de Doro y de Aníbal que la calle era para ellos como un corredor más, algo que seguía manteniéndolos unidos de día o de noche, en el potrero jugando al fútbol en plena siesta o bajo la luz del farol de la esquina mirando cómo los sapos y los escuerzos hacían rueda para comerse a los insectos borrachos de dar vueltas en torno a la luz amarilla. Y el verano, siempre, el verano de las vacaciones, la libertad de los juegos, el tiempo solamente de ellos, para ellos, sin horario ni campana para entrar a clase, el olor del verano en el

aire caliente de las tardes y las noches, en las caras
sudadas después de ganar o perder o pelearse o correr, de reírse y a veces de llorar pero siempre juntos,
siempre libres, dueños de su mundo de barriletes y
pelotas y esquinas y veredas.

De Sara le quedaban pocas imágenes, pero cada
una se recortaba como un vitral a la hora del sol más
alto, con azules y rojos y verdes penetrando el espacio
hasta hacerle daño, a veces Aníbal veía sobre todo su
pelo rubio cayéndole sobre los hombros como una
caricia que él hubiera querido sentir contra su cara,
a veces su piel tan blanca porque Sara no salía casi
nunca al sol, absorbida por los trabajos de la casa,
la madre enferma y Doro que volvía cada tarde con
la ropa sucia, lastimadas las rodillas, las zapatillas em-
barradas. Nunca supo la edad de Sara en ese entonces, solamente que ya era una señorita, una joven
madre de su hermano que se volvía más niño cuando
ella le hablaba, cuando le pasaba la mano por la cabeza antes de mandarlo a comprar algo o pedirles a
los dos que no gritaran tanto en el patio. Aníbal la
saludaba tímido, dándole la mano, y Sara se la apretaba amablemente, casi sin mirarlo pero aceptándolo
como esa otra mitad de Doro que casi diariamente
venía a la casa para leer o jugar. A las cinco los llamaba para darles café con leche y bizcochos, siempre
en la mesita del patio o en la sala sombría; Aníbal
sólo había visto dos o tres veces a la madre de Doro,
dulcemente desde su sillón de ruedas les decía su hola
chicos, su tengan cuidado con los autos, aunque había tan pocos autos en Bánfield y ellos sonreían seguros de sus esquives en la calle, de su invulnerabi-
lidad de jugadores de fútbol y corredores. Doro no
hablaba nunca de su madre, casi siempre en la cama

o escuchando radio en el salón, la casa era el patio y Sara, a veces algún tío de visita que les preguntaba lo que habían estudiado en la escuela y les regalaba cincuenta centavos. Y para Aníbal siempre era verano, de los inviernos no tenía casi recuerdos, su casa se volvía un encierro gris y neblinoso donde sólo los libros contaban, la familia en sus cosas y las cosas fijas en sus huecos, las gallinas que él tenía que cuidar, las enfermedades con largas dietas y té y solamente a veces Doro, porque a Doro no le gustaba quedarse mucho en una casa donde no los dejaban jugar como en la suya.

Fue a lo largo de una bronquitis de quince días que Aníbal empezó a sentir la ausencia de Sara, cuando Doro venía a visitarlo le preguntaba por ella y Doro le contestaba distraído que estaba bien, lo único que le interesaba era si esa semana iban a poder jugar de nuevo en la calle. Aníbal hubiera querido saber más de Sara pero no se animaba a preguntar mucho, a Doro le hubiera parecido estúpido que se preocupara por alguien que no jugaba como ellos, que estaba tan lejos de todo lo que ellos hacían y pensaban. Cuando pudo volver a la casa de Doro, todavía un poco débil, Sara le dio la mano y le preguntó cómo andaba, no tenía que jugar a la pelota para no cansarse, mejor que dibujaran o leyeran en la sala; su voz era grave, hablaba como siempre le hablaba a Doro, afectuosamente pero lejos, la hermana mayor atenta y casi severa. Antes de dormirse esa noche, Aníbal sintió que algo le subía a los ojos, que la almohada se le volvía Sara, una necesidad de apretarla en los brazos y llorar con la cara pegada a Sara, al pelo de Sara, queriendo que ella estuviera ahí y le trajera los remedios y mirara el termómetro sentada a los pies de la cama. Cuando su madre vino por la mañana para frotarle el pecho con algo que olía a alcohol y a mentol, Aníbal cerró los ojos y fue la mano de Sara alzándole el camisón, acariciándolo livianamente, curándolo.

Era de nuevo el verano, el patio de la casa de Doro, las vacaciones con novelas y figuritas, con la filatelia y la colección de jugadores de fútbol que pegaban en un álbum. Esa tarde hablaban de pantalones largos, ya no faltaba mucho para ponérselos, quién iba a entrar en la secundaria con pantalones cortos. Sara los llamó para el café con leche y a Aníbal le pareció que había escuchado lo que decían y que en su boca había como un resto de sonrisa, a lo mejor se divertía oyéndolos hablar de esas cosas y se burlaba un poco. Doro le había dicho que ya tenía novio, un señor grande que la visitaba los sábados pero que él no había visto todavía. Aníbal lo imaginaba como alguien que le traía bombones a Sara y hablaba con ella en la sala, igual que el novio de su prima Lola, en pocos días se había curado de la bronquitis y ya podía jugar de nuevo en el potrero con Doro y los otros amigos. Pero de noche era triste y a la vez tan hermoso, solo en su cuarto antes de dormirse se decía que Sara no estaba ahí, que nunca entraría a verlo ni sano ni enfermo, justo a esa hora en que él la sentía tan cerca, la miraba con los ojos cerrados sin que la voz de Doro o los gritos de los otros chicos se mezclaran con esa presencia de Sara sola ahí para él, junto a él, y el llanto volvía como un deseo de entrega, de ser Doro en las manos de Sara, de que el pelo de Sara le rozara la frente y su voz le dijera buenas noches, que Sara le subiera la sábana antes de irse.

Se animó a preguntarle a Doro como de paso quién lo cuidaba cuando estaba enfermo, porque Doro había tenido una infección intestinal y había pasado cinco días en la cama. Se lo preguntó como si fuera natural que Doro le dijera que su madre lo había atendido, sabiendo que no podía ser y que entonces Sara, los remedios y las otras cosas. Doro le contestó que su hermana le hacía todo, cambió de tema y se puso a hablar de cine. Pero Aníbal quería saber más, si Sara lo había cuidado desde que era chico, y claro que lo había cuidado porque su mamá llevaba ocho años casi inválida y Sara se ocupaba de los dos. Pero entonces, ¿ella te bañaba cuando eras chico? Seguro, ¿por qué me preguntás esas pavadas? Por nada, por saber nomás, debe ser tan raro tener una hermana grande que te baña. No tiene nada de raro, che. ¿Y cuando te enfermabas de chico ella te cuidaba y te hacía todo? Sí, claro. ¿Y a vos no te daba vergüenza que tu hermana te viera y te hiciera todo? No, qué vergüenza me iba a dar, yo era chico entonces. ¿Y ahora? Bueno, ahora igual, por qué me va a dar vergüenza cuando estoy enfermo.

Por qué, claro. A la hora en que cerrando los ojos imaginaba a Sara entrando de noche en su cuarto, acercándose a su cama, era como un deseo de que ella le preguntara cómo estaba, le pusiera la mano en la frente y después bajara las sábanas para verle la lastimadura en la pantorrilla, le cambiara la venda tratándolo de tonto por haberse cortado con un vidrio. La sentía levantándole el camisón y mirándolo desnudo, tocándole el vientre para ver si estaba inflamado, tapándolo de nuevo para que se durmiera. Abrazado a la almohada se sentía de pronto tan solo, y cuando abría los ojos en el cuarto ya vacío de Sara era como una marea de congoja y de delicia porque nadie, nadie podía saber de su amor, ni siquiera Sara, nadie podía comprender esa pena y ese deseo de morir por Sara, de salvarla de un tigre o de un incendio y morir por ella, y que ella se lo agradeciera y lo besara llorando. Y cuando sus manos bajaban y empezaba a acariciarse como Doro, como todos los chicos, Sara no entraba en sus imágenes, era la hija del almacenero o la prima Yolanda, eso no podía suceder con Sara que venía a cuidarlo de noche como lo cuidaba a Doro, con ella no había más que esa delicia de imaginarla inclinándose sobre él y acariciándolo y el amor era eso, aunque Aníbal ya supiera lo que podía ser el amor y se lo imaginara con Yolanda, todo lo que él le haría alguna vez a Yolanda o a la chica del almacenero.

El día del zanjón fue casi al final del verano, después de jugar en el potrero se habían separado de la barra y por un camino que solamente ellos conocían y que llamaban el camino de Sandokan se perdieron en la maleza espinosa donde una vez habían encontrado un perro ahorcado en un árbol y habían huido de puro susto. Arañándose las manos se abrieron paso hasta lo más tupido, hundiendo la cara en el ramaje colgante de los sauces hasta llegar al borde del zanjón de aguas turbias donde siempre habían esperado pescar mojarritas y nunca habían sacado nada. Les gustaba sentarse al borde y fumar los cigarrillos que Doro hacía con chala de maíz, hablando de las novelas de Salgari y planeando viajes y cosas. Pero ese día no tuvieron suerte, a Aníbal se le enganchó un zapato en una raíz y se fue para adelante, se agarró de Doro y los dos resbalaron en el talud del zanjón y se hundieron hasta la cintura, no había peligro pero fue como si, manotearon desesperados hasta sujetarse de la ramazón de un sauce, se arrastraron trepando y puteando hasta lo alto, el barro se les había metido por todas partes, les chorreaba dentro de las camisas y los pantalones y olía a podrido, a rata muerta.

Volvieron casi sin hablar y se metieron por el fondo del jardín en la casa de Doro, esperando que no hubiera nadie en el patio y pudieran lavarse a escondidas. Sara colgaba ropa cerca del gallinero y los vio venir, Doro como con miedo y Aníbal detrás, muerto de vergüenza y queriendo de veras morirse, estar a mil leguas de Sara en ese momento en que ella los miraba apretando los labios, en un silencio que los clavaba ridículos y confundidos bajo el sol del patio.

—Era lo único que faltaba —dijo solamente Sara, dirigiéndose a Doro pero tan para Aníbal balbuceando las primeras palabras de una confesión, era culpa suya, se le había enganchado un zapato y entonces, Doro no tuvo la culpa de que, lo que había pasado era que todo estaba tan refaloso.

—Vayan a bañarse ahora mismo —dijo Sara como si no lo hubiera oído—. Sáquense los zapatos antes de entrar y después se lavan la ropa en la pileta del gallinero.

En el baño se miraron y Doro fue el primero en reírse pero era una risa sin convicción, se desnudaron y abrieron la ducha, bajo el agua podían empezar a reírse de veras, a pelearse por el jabón, a mirarse de arriba abajo y a hacerse cosquillas. Un río de barro corría hasta el desagüe y se diluía poco a poco, el jabón empezaba a dar espuma, se divertían tanto que en el primer momento no se dieron cuenta de que la puerta se había abierto y que Sara estaba ahí mirándolos, acercándose a Doro para sacarle el jabón de la mano y frotárselo en la espalda todavía embarrada. Aníbal no supo qué hacer, parado en la bañadera se puso las manos en la barriga, después se dio vuelta de golpe para que Sara no lo viera y fue todavía peor, de tres cuartos y con el agua corriéndole por la cara, cambiando de lado y otra vez de espaldas, hasta que Sara le alcanzó el jabón con un lavate mejor las orejas, tenés barro por todas partes.

Esa noche no pudo ver a Sara como las otras noches, aunque apretaba los párpados lo único que veía era a Doro y a él en la bañadera, a Sara acercándose para inspeccionarlos de arriba abajo y después saliendo del baño con la ropa sucia en los brazos, generosamente yendo ella misma a la pileta para lavarles las cosas y gritándoles que se envolvieran en las toallas de baño hasta que todo estuviera seco, dándoles el café con leche sin decir nada, ni enojada ni amable, instalando la tabla de planchar bajo las glicinas y poco a poco secando los pantalones y las camisas. Cómo no había podido decirle algo al final cuando los mandó a vestirse, decirle solamente gracias, Sara, qué buena es, gracias de veras, Sara. No había podido decir ni eso y Doro tampoco, habían ido a vestirse callados y después la filatelia y las figuritas de aviones sin que Sara apareciera de nuevo, siempre cuidando a su madre al anochecer, preparando la cena y a veces tarareando un tango entre el ruido de los platos y las cacerolas, ausente como ahora bajo los párpados que ya no le servían para hacerla venir, para que supiera cuánto la quería, qué ganas de morirse de veras después de haberla visto mirándolos en la ducha.

Debió ser en las últimas vacaciones antes de entrar en el colegio nacional, sin Doro porque Doro iría a la escuela normal, pero los dos se habían prometido seguir viéndose todos los días aunque fueran a escuelas diferentes, qué importaba si por la tarde seguirían jugando como siempre, sin saber que no, que algún día de febrero o marzo jugarían por última vez en el patio de la casa de Doro porque la familia de Aníbal se mudaba a Buenos Aires y solamente podrían verse los fines de semana, amargos de rabia por un cambio que no querían admitir, por una separación que los grandes les imponían como tantas cosas, sin preocuparse por ellos, sin consultarlos.

Todo de golpe iba rápido, cambiaba como ellos con los primeros pantalones largos, cuando Doro le dijo que Sara se iba a casar a principios de marzo, se lo dijo como algo sin importancia y Aníbal ni siquiera hizo un comentario, pasaron días antes de que se animara a preguntarle a Doro si Sara iba a seguir viviendo con él después de casada, pero sos idiota vos, cómo se van a quedar aquí, el tipo tiene mucha guita y se la va a llevar a Buenos Aires, tiene otra casa en Tandil y yo me voy a quedar con mi mamá y tía Faustina que la va a cuidar.

Ese sábado último de las vacaciones vio llegar al novio en su auto, lo vio de azul y gordo, con lentes, bajándose del auto con un paquetito de masas y un ramo de azucenas. En su casa lo llamaban para que empezara a embalar sus cosas, la mudanza era el lunes y todavía no había hecho nada. Hubiera querido ir a la casa de Doro sin saber por qué, estar solamente ahí, pero su madre lo obligó a empaquetar sus libros, el globo terráqueo, las colecciones de bichos. Le habían dicho que tendría una pieza grande para él solo con vista a la calle, le habían dicho que podría ir al colegio a pie. Todo era nuevo, todo iba a empezar de otra manera, todo giraba lentamente, y ahora Sara estaría sentada en la sala con el gordo del traje azul, tomando el té con las masas que él había traído, tan lejos del patio, tan lejos de Doro y. él, sin nunca más llamarlos para el café con leche debajo de las glicinas.

El primer fin de semana en Buenos Aires (era cierto, tenía una pieza grande para él solo, el barrio estaba lleno de negocios, había un cine a dos cuadras), tomó el tren y volvió a Bánfield para ver a Doro. Conoció a la tía Faustina, que no les dio nada cuando terminaron de jugar en el patio, se fueron a caminar por el barrio y Aníbal tardó un rato en preguntarle por Sara. Bueno, se había casado por civil y ya estaban en la casa de Tandil para la luna de miel, Sara iba a venir cada quince días a ver a su madre. ¿Y no la extrañás? Sí, pero qué querés. Claro, ahora está casada. Doro se distraía, empezaba a cambiar de tema y Aníbal no encontraba la manera de que siguiera hablándole de Sara, a lo mejor pidiéndole que le contara el casamiento y Doro riéndose, yo qué sé, habrá sido como siempre, del civil se fueron al hotel y entonces vino la noche de bodas, se acostaron y entonces el tipo. Aníbal escuchaba mirando las verjas y los balcones, no quería que Doro le viera la cara y Doro se daba cuenta, seguro que vos no sabés lo que pasa la noche de bodas. No jodas, claro que sé. Lo sabés pero la primera vez es diferente, a mí me contó Ramírez, a él se lo dijo el hermano que es abogado y se casó el año pasado, le explicó todo. Había un banco vacío en la plaza, Doro había comprado cigarrillos y le seguía contando y fumando, Aníbal asentía, tragaba el humo que empezaba a marearlo, no necesitaba cerrar los ojos para ver contra el fondo del follaje el cuerpo de Sara que nunca había imaginado como un cuerpo, ver la noche de bodas desde las palabras del hermano de Ramírez, desde la voz de Doro que le seguía contando.

Ese día no se animó a pedirle la dirección de Sara en Buenos Aires, lo dejó para otra visita porque tenía miedo de Doro en ese momento, pero la otra visita no llegó nunca, el colegio empezó y los nuevos amigos, Buenos Aires se tragó poco a poco a Aníbal cargado de libros de matemáticas y tantos cines en el centro y la cancha de River y los primeros paseos de noche con Beto, que era un porteño de veras. También a Doro le estaría pasando lo mismo en La Plata, cada tanto Aníbal pensaba en mandarle unas líneas porque Doro no tenía teléfono, después venía Beto o había que preparar algún trabajo práctico, fueron meses, el primer año, vacaciones en Saladillo, de Sara no iba quedando más que alguna imagen aislada, una ráfaga de Sara cuando algo en María o en Felisa le recordaba por un momento a Sara. Un día del segundo año la vio nítidamente al salir de un sueño y le dolió con un dolor amargo y quemante, al fin y al cabo no había estado tan enamorado de ella, total antes era un chico y Sara nunca le había prestado atención como ahora Felisa o la rubia de la farmacia, nunca había ido a un baile con él como su prima Beba o Felisa para festejar la entrada a cuarto año, nunca lo había dejado acariciarle el pelo como María, ir a bailar a San Isidro y perderse a medianoche entre los árboles de la costa, besar a Felisa en la boca entre protestas y risas, apoyarla contra un tronco y acariciarle el pecho, bajar hasta perder la mano en ese calor huyente y después de otro baile y mucho cine encontrar un refugio en el fondo del jardín de Felisa y resbalar con ella hasta el suelo, sentir en la boca su sabor salado y dejarse buscar por una mano que lo guió, por supuesto no le iba a decir que era la primera vez, que había tenido miedo, ya estaba en primer año de ingeniería y no le podía decir eso a Felisa y después ya no hizo falta porque todo se aprendía tan rápido con Felisa y algunas veces con su prima Beba.

Nunca más supo de Doro y no le importó, también se había olvidado de Beto que enseñaba historia en algún pueblo de provincia, los juegos se habían ido dando sin sorpresa y como a todo el mundo, Aníbal aceptaba sin aceptar, algo que debía ser la vida aceptaba por él, un diploma, una hepatitis grave, un viaje al Brasil, un proyecto importante en un estudio con dos o tres socios. Estaba despidiéndose de uno de ellos en la puerta antes de ir a tomar una cerveza después del trabajo cuando vio venir a Sara por la vereda de enfrente. Bruscamente recordó que la noche antes había soñado con Sara y que era siempre el patio de la casa de Doro aunque no pasaba nada, aunque Sara solamente estaba ahí colgando ropa o llamándolos para el café con leche, y el sueño se acababa así casi sin haber empezado. Tal vez porque no pasaba nada las imágenes eran de una precisión cortante bajo el sol del verano de Bánfield que en el sueño no era el mismo que el de Buenos Aires; tal vez también por eso o por falta de algo mejor había rememorado a Sara después de tantos años de olvido (pero no había sido olvido, se lo repitió hoscamente a lo largo del día), y verla venir ahora por la calle, verla ahí vestida de blanco, idéntica a entonces con el pelo azotándole los hombros a cada paso en un juego de luces doradas, encadenándose a las imágenes del sueño en una continuidad que no le extrañó, que tenía algo de necesario y previsible, cruzar la calle y enfrentarla, decirle quién era y que ella lo mirara sorprendida, no lo reconociera y de golpe sí de golpe sonriera y le tendiera la mano, se la apretara de veras y siguiera sonriéndole.

—Qué increíble —dijo Sara—. Cómo te iba a reconocer después de tantos años.

—Usted sí, claro —dijo Aníbal—. Pero ya ve, yo la reconocí en seguida.

—Lógico —dijo lógicamente Sara—. Si ni siquiera te habías puesto pantalones largos. Yo también habré cambiado tanto, lo que pasa es que sos mejor fisonomista.

Dudó un segundo antes de comprender que era idiota seguir tratándola de usted.

—No, no has cambiado, ni siquiera el peinado. Sos la misma.

—Fisonomista pero un poco miope —dijo ella con la antigua voz donde la bondad y la burla se enredaban.

El sol les daba en la cara, no se podía hablar entre el tráfico y la gente. Sara dijo que no tenía apuro y que le gustaría tomar algo en un café. Fumaron el primer cigarrillo, el de las preguntas generales y los rodeos, Doro era maestro en Adrogué, la mamá se había muerto como un pajarito mientras leía el diario, él estaba asociado con otros muchachos ingenieros, les iba bien aunque la crisis, claro. En el segundo cigarrillo Aníbal dejó caer la pregunta que le quemaba los labios.

—¿Y tu marido?

Sara dejó salir el humo por la nariz, lo miró despacio en los ojos.

—Bebe —dijo.

No había ni amargura ni lástima, era una simple información y después otra vez Sara en Bánfield antes de todo eso, antes de la distancia y el olvido y el sueño de la noche anterior, exactamente como en el patio de la casa de Doro y aceptándole el segundo whisky, como siempre casi sin hablar, dejándolo a él que siguiera, que le contara porque él tenía mucho más para contarle, los años habían estado tan llenos de cosas para él, ella era como si no hubiese vivido mucho y no valía la pena decir por qué. Tal vez porque acababa de decirlo con una sola palabra.

Imposible saber en qué momento todo dejó de ser difícil, juego de preguntas y respuestas, Aníbal había tendido la mano sobre el mantel y la mano de Sara no rehuyó su peso, la dejó estar mientras él agachaba la cabeza porque no podía mirarla en la cara, mientras le hablaba a borbotones del patio, de Doro, le contaba las noches en su cuarto, el termómetro, el llanto contra la almohada. Se lo decía con una voz lisa y monótona, amontonando momentos y episodios pero todo era lo mismo, me enamoré tanto de vos, me enamoré tanto y no te lo podía decir, vos venías de noche y me cuidabas, vos eras la mamá joven que yo no tenía, vos me tomabas la temperatura y me acariciabas para que me durmiera, vos nos dabas el café con leche en el patio, te acordás, vos nos retabas cuando hacíamos pavadas, yo hubiera querido que me hablaras solamente a mí de tantas cosas pero vos me mirabas desde tan arriba, me sonreías desde tan lejos, había un inmenso vidrio entre los dos y vos no podías hacer nada para romperlo, por eso de noche yo te llamaba y vos venías a cuidarme, a estar conmigo, a quererme como yo te quería, acariciándome la cabeza, haciéndome lo que le hacías a Doro, todo lo que siempre le habías hecho a Doro, pero yo no era Doro y solamente una vez, Sara, solamente una vez y fue horrible y no me olvidaré nunca porque hubiera querido morirme y no pude o no supe, claro que no quería morirme pero eso era el amor, querer morirme porque vos me habías mirado todo entero como a un chico, habías entrado en el baño y me habías mirado a mí que te quería, y me habías mirado como siempre lo habías mirado a Doro, vos ya de novia, vos que ibas a casarte y yo ahí mientras me dabas el jabón y me mandabas que me lavara hasta las orejas, me mirabas desnudo como a un chico que era y no te importaba nada de mí, ni siquiera me veías porque solamente veías a un chico y te ibas como si nunca me hubieras visto, como si yo no estuviera ahí sin saber cómo ponerme mientras me estabas mirando.

—Me acuerdo muy bien —dijo Sara—. Me acuerdo tan bien como vos, Aníbal.

—Sí, pero no es lo mismo.

—Quién sabe si no es lo mismo. Vos no podías darte cuenta entonces, pero yo había sentido que me querías de esa manera y que te hacía sufrir, y por eso yo tenía que tratarte igual que a Doro. Eras un chico pero a veces me daba tanta pena que fueras un chico, me parecía injusto, algo así. Si hubieras tenido cinco años más... Te lo voy a decir porque ahora puedo y porque es justo, aquella tarde entré a propósito en el baño, no tenía ninguna necesidad de ir a ver si se estaban lavando, entré porque era una manera de acabar con eso, de curarte de tu sueño, de que te dieras cuenta que vos no podrías verme nunca así mientras que yo tenía el derecho de mirarte por todos lados como se mira a un chico. Por eso, Aníbal, para que te curaras de una vez y dejaras de mirarme como me mirabas pensando que yo no lo sabía. Y ahora sí otro whisky, ahora que los dos somos grandes.

Del anochecer a la noche cerrada, por caminos de palabras que iban y venían, de manos que se encontraban un instante sobre el mantel antes de una risa y otros cigarrillos, quedaría un viaje en taxi,

algún lugar que ella o él conocían, una habitación,
todo como fundido en una sola imagen instantánea
resolviéndose en una blancura de sábanas y la casi
inmediata, furiosa convulsión de los cuerpos en un
interminable encuentro, en las pausas rotas y rehechas
y violadas y cada vez menos creíbles, en cada nueva
implosión que los segaba y los sumía y los quemaba
hasta el sopor, hasta la última brasa de los cigarrillos
del alba. Cuando apagué la lámpara del escritorio y
miré el fondo del vaso vacío, todo era todavía pura
negación de las nueve de la noche, de la fatiga a la
vuelta de otro día de trabajo. ¿Para qué seguir escribiendo si las palabras llevaban ya una hora resbalando sobre esa negación, tendiéndose en el papel
como lo que eran, meros dibujos privados de todo
sostén? Hasta algún momento habían corrido cabal-
gando la realidad, llenándose de sol y verano, palabras
patio de Bánfield, palabras Doro y juegos y zanjón,
colmena rumorosa de una memoria fiel. Sólo que al
llegar a un tiempo que ya no era Sara ni Bánfield
el recuento se había vuelto cotidiano, presente utili-
tario sin recuerdos ni sueños, la pura vida sin más
y sin menos. Había querido seguir y que también las
palabras aceptaran seguir adelante hasta llegar al hoy
nuestro de cada día, a cualquiera de las lentas jorna-
das en el estudio de ingeniería, pero entonces me había acordado del sueño de la noche anterior, de ese
sueño de nuevo con Sara, de la vuelta de Sara desde
tan lejos y atrás, y no había podido quedarme en este
presente en el que una vez más saldría por la tarde
del estudio y me iría a beber una cerveza al café de
la esquina, las palabras habían vuelto a llenarse de
vida y aunque mentían, aunque nada era cierto, había
seguido escribiéndolas porque nombraban a Sara, a
Sara viniendo por la calle, tan hermoso seguir adelante aunque fuera absurdo, escribir que había cru-

zado la calle con las palabras que me llevarían a
encontrar a Sara y dejarme conocer, la única manera
de reunirme por fin con ella y decirle la verdad, llegar hasta su mano y besarla, escuchar su voz y verle
el pelo azotándole los hombros, irme con ella hacia
una noche que las palabras irían llenando de sábanas
y caricias, pero cómo seguir ya, cómo empezar desde
esa noche una vida con Sara cuando ahí al lado se
oía la voz de Felisa que entraba con los chicos y venía
a decirme que la cena estaba pronta, que fuéramos
en seguida a comer porque ya era tarde y los chicos
querían ver al pato Donald en la televisión de las
diez y veinte.

Pesadillas

Esperar, lo decían todos, hay que esperar porque nunca se sabe en casos así, también el doctor Raimondi, hay que esperar, a veces se da una reacción y más a la edad de Mecha, hay que esperar, señor Botto, sí doctor pero ya van dos semanas y no se despierta, dos semanas que está como muerta, doctor, ya lo sé, señora Luisa, es un estado de coma clásico, no se puede hacer más que esperar. Lauro también esperaba, cada vez que volvía de la facultad se quedaba un momento en la calle antes de abrir la puerta, pensaba hoy sí, hoy la voy a encontrar despierta, habrá abierto los ojos y le estará hablando a mamá, no puede ser que dure tanto, no puede ser que se vaya a morir a los veinte años, seguro que está sentada en la cama y hablando con mamá, pero había que seguir esperando, siempre igual m'hijito, el doctor va a volver a la tarde, todos dicen que no se puede hacer nada. Venga a comer algo, amigo, su madre se va a quedar con Mecha, usted tiene que alimentarse, no se olvide de los exámenes, de paso vemos el noticioso. Pero todo era de paso allí donde lo único que duraba sin cambio, lo único exactamente igual día tras día era Mecha, el peso del cuerpo de Mecha en esa cama, Mecha flaquita y liviana, bailarina de rock y tenista, ahí aplastada y aplastando a todos desde hacía semanas, un proceso viral complejo, estado comatoso, señor Botto, imposible pronosticar, señora Luisa, nomás que sostenerla y darle todas las chances, a esa edad hay tanta fuerza, tanto deseo de vivir. Pero es que ella no puede ayudar, doctor, no comprende nada, está como, ah perdón Dios mío, ya ni sé lo que digo.

Lauro tampoco lo creía del todo, era como un chiste de Mecha que siempre le había hecho los peores chistes, vestida de fantasma en la escalera, escondiéndole un plumero en el fondo de la cama, riéndose tanto los dos, inventándose trampas, jugando a seguir siendo chicos. Proceso viral complejo, el brusco apagón una tarde después de la fiebre y los dolores, de golpe el silencio, la piel cenicienta, la respiración lejana y tranquila. Unica cosa tranquila allí donde médicos y aparatos y análisis y consultas hasta que poco a poco la mala broma de Mecha había sido más fuerte, dominándolos a todos de hora en hora, los gritos desesperados de doña Luisa cediendo después a un llanto casi escondido, a una angustia de cocina y de cuarto de baño, las imprecaciones paternas divididas por la hora de los noticiosos y el vistazo al diario, la incrédula rabia de Lauro interrumpida por los viajes a la facultad, las clases, las reuniones, esa bocanada de esperanza cada vez que volvía del centro, me la vas a pagar, Mecha, esas cosas no se hacen, desgraciada, te la voy a cobrar, vas a ver. La única tranquila aparte de la enfermera tejiendo, al perro lo habían mandado a casa de un tío, el doctor Raimondi ya no venía con los colegas, pasaba al anochecer y casi no se quedaba, también él parecía sentir el peso del cuerpo de Mecha que los aplastaba un poco más cada día, los acostumbraba a esperar, a lo único que podía hacerse.

Lo de la pesadilla empezó la misma tarde en que doña Luisa no encontraba el termómetro y la enfermera, sorprendida, se fue a buscar otro a la farmacia de la esquina. Estaba hablando de eso porque un termómetro no se pierde así nomás cuando se lo está utilizando tres veces al día, se acostumbraban a hablarse en voz alta al lado de la cama de Mecha, los susurros del comienzo no tenían razón de ser porque Mecha era incapaz de escuchar, el doctor Raimondi estaba seguro de que el estado de coma la aislaba de toda sensibilidad, se podía decir cualquier cosa sin que nada cambiara en la expresión indiferente de Mecha. Todavía hablaban del termómetro cuando se oyeron los tiros en la esquina, a lo mejor más lejos, por el lado de Gaona. Se miraron, la enfermera se encogió de hombros porque los tiros no eran una novedad en el barrio ni en ninguna parte, y doña Luisa iba a decir algo más sobre el termómetro cuando vieron pasar el temblor por las manos de Mecha. Duró un segundo pero las dos se dieron cuenta y doña Luisa gritó y la enfermera le tapó la boca, el señor Botto vino de la sala y los tres vieron cómo el temblor se repetía en todo el cuerpo de Mecha, una rápida serpiente corriendo del cuello hasta los pies, un moverse de los ojos bajo los párpados, la leve crispación que alteraba las facciones, como una voluntad de hablar, de quejarse, el pulso más rápido, el lento regreso a la inmovilidad. Teléfono, Raimondi, en el fondo nada nuevo, acaso un poco más de esperanza aunque Raimondi no quiso decirlo, santa Virgen, que sea cierto, que se despierte mi hija, que se termine este calvario, Dios mío. Pero no se terminaba, volvió a empezar una hora más tarde, después más seguido, era como si Mecha estuviera soñando y que su sueño fuera penoso y desesperante, la pesadilla volviendo y volviendo sin que pudiera rechazarla, estar a su lado y mirarla y hablarle sin que nada de lo de fuera le llegara, invadida por esa otra cosa que de alguna manera continuaba la larga pesadilla de todos ellos ahí sin comunicación posible, sálvala, Dios mío, no la dejes así, y Lauro que volvía de una clase y se quedaba también al lado de la cama, una mano en el hombro de su madre que rezaba.

Por la noche hubo otra consulta, trajeron un nuevo aparato con ventosas y electrodos que se fijaban en la cabeza y las piernas, dos médicos amigos de Raimondi discutieron largo en la sala, habrá que seguir esperando, señor Botto, el cuadro no ha cambiado, sería imprudente pensar en un síntoma favorable. Pero es que está soñando, doctor, tiene pesadillas, usted mismo la vio, va a volver a empezar, ella siente algo y sufre tanto, doctor. Todo es vegetativo, señora Luisa, no hay conciencia, le aseguro, hay que esperar y no impresionarse por eso, su hija no sufre, ya sé que es penoso, va a ser mejor que la deje sola con la enfermera hasta que haya una evolución, trate de descansar, señora, tome las pastillas que le di.

Lauro veló junto a Mecha hasta medianoche, de a ratos leyendo apuntes para los exámenes. Cuando se oyeron las sirenas pensó que hubiera tenido que telefonear al número que le había dado Lucero, pero no debía hacerlo desde la casa y no era cuestión de salir a la calle justo después de las sirenas. Veía moverse lentamente los dedos de la mano izquierda de Mecha, otra vez los ojos parecían girar bajo los párpados. La enfermera le aconsejó que se fuera de la pieza, no había nada que hacer, solamente esperar. «Pero es que está soñando», dijo Lauro, «está soñando otra vez, mírela». Duraba como las sirenas ahí afuera, las manos parecían buscar algo, los dedos tratando de encontrar un asidero en la sábana. Ahora doña Luisa estaba ahí de nuevo, no podía dormir. ¿Por qué —la enfermera casi enojada— no había tomado las pastillas del doctor Raimondi? «No las encuentro», dijo doña Luisa como perdida, «estaban en la mesa de luz pero no las encuentro». La enfermera fue a buscarlas, Lauro y su madre se miraron, Mecha movía apenas los dedos y ellos sentían que la pesadilla seguía ahí, que se prolongaba interminablemente como negándose a alcanzar ese punto en que una especie de piedad, de lástima final la despertaría como a todos para rescatarla del espanto. Pero seguía soñando, de un momento a otro los dedos empezarían a moverse otra vez. «No las veo por ninguna parte, señora», dijo la enfermera. «Estamos todos tan perdidos, uno ya no sabe adónde van a parar las cosas en esta casa.»

Lauro volvió tarde la noche siguiente, y el señor Botto le hizo una pregunta casi evasiva sin dejar de mirar el televisor, en pleno comentario de la Copa. «Una reunión con amigos», dijo Lauro buscando con qué hacerse un sándwich. «Ese gol fue una belleza», dijo el señor Botto, «menos mal que retransmiten el partido para ver mejor esas jugadas campeonas». Lauro no parecía interesado en el gol, comía mirando al suelo. «Vos sabrás lo que hacés, muchacho», dijo el señor Botto sin sacar los ojos de la pelota, «pero andate con cuidado». Lauro alzó la vista y lo miró casi sorprendido, primera vez que su padre se dejaba ir a un comentario tan personal. «No se haga problema, viejo», le dijo levantándose para cortar todo diálogo.

La enfermera había bajado la luz del velador y apenas se veía a Mecha. En el sofá, doña Luisa se quitó las manos de la cara y Lauro la besó en la frente.

—Sigue lo mismo —dijo doña Luisa—. Sigue todo el tiempo así, hijo. Fijate, fijate cómo le tiembla la boca, pobrecita, qué estará viendo, Dios mío, cómo puede ser que esto dure y dure, que esto...

—Mamá.

—Pero es que no puede ser, Lauro, nadie se da cuenta como yo, nadie comprende que está todo el tiempo con una pesadilla y que no se despierta...

—Yo lo sé, mamá, yo también me doy cuenta. Si se pudiera hacer algo, Raimondi lo habría hecho. Vos no la podés ayudar quedándote aquí, tenés que irte a dormir, tomar un calmante y dormir.

La ayudó a levantarse y la acompañó hasta la puerta. «¿Qué fue eso, Lauro?», deteniéndose bruscamente. «Nada, mamá, unos tiros lejos, ya sabés». Pero qué sabía en realidad doña Luisa, para qué hablar más. Ahora sí, ya era tarde, después de dejarla en su dormitorio tendría que bajar hasta el almacén y desde ahí llamarlo a Lucero.

No encontró la campera azul que le gustaba ponerse de noche, anduvo mirando en los armarios del pasillo por si su madre la hubiera colgado ahí, al final se puso un saco cualquiera porque hacía fresco. Antes de salir entró un momento en la pieza de Mecha, casi antes de verla en la penumbra sintió la pesadilla, el temblor de las manos, la habitante secreta resbalando bajo la piel. Las sirenas afuera otra vez, no debería salir hasta más tarde, pero entonces el almacén estaría cerrado y no podría telefonear. Bajo los párpados los ojos de Mecha giraban como si buscaran abrirse paso, mirarlo, volver de su lado. Le acarició la frente con un dedo, tenía miedo de tocarla, de contribuir a la pesadilla con cualquier estímulo de fuera. Los ojos seguían girando en las órbitas y Lauro se apartó, no sabía por qué pero tenía cada vez más miedo, la idea de que Mecha pudiera alzar los párpados y mirarlo lo hizo echarse atrás. Si su padre se había ido a dormir podría telefonear desde la sala bajando la voz, pero el señor Botto seguía escuchando los comentarios del partido. «Sí, de eso hablan mucho», pensó Lauro. Se levantaría temprano para telefonearle a Lucero antes de ir a la facultad. De lejos vio a la enfermera que salía de su dormitorio llevando algo que brillaba, una jeringa de inyecciones o una cuchara.

Hasta el tiempo se mezclaba o se perdía en ese esperar continuo, con noches en vela o días de sueño para compensar, los parientes o amigos que llegaban en cualquier momento y se turnaban para distraer a doña Luisa o jugar al dominó con el señor Botto, una enfermera suplente porque la otra había tenido que irse por una semana de Buenos Aires, las tazas de café que nadie encontraba porque andaban desparramadas en todas las piezas, Lauro dándose una vuelta cuando podía y yéndose en cualquier momento, Raimondi que ya ni tocaba el timbre antes de entrar para la rutina de siempre, no se nota ningún cambio negativo, señor Botto, es un proceso en el que no se puede hacer más que sostenerla, le estoy reforzando la alimentación por sonda, hay que esperar. Pero es que sueña todo el tiempo, doctor, mírela, ya casi no descansa. No es eso, señora Luisa, usted se imagina que está soñando pero son reacciones físicas, es difícil explicarle porque en estos casos hay otros factores, en fin, no crea que tiene conciencia de eso que parece un sueño, a lo mejor por ahí es buen síntoma tanta vitalidad y esos reflejos, créame que la estoy siguiendo de cerca, usted es la que tiene que descansar, señora Luisa, venga que le tome la presión.

A Lauro se le hacía cada vez más difícil volver a su casa con el viaje desde el centro y todo lo que pasaba en la facultad, pero más por su madre que por Mecha se aparecía a cualquier hora y se quedaba un rato, se enteraba de lo de siempre, charlaba con los viejos, les inventaba temas de conversación para sacarlos un poco del agujero. Cada vez que se acercaba a la cama de Mecha era la misma sensación de contacto imposible, Mecha tan cerca y como llamándolo, los vagos signos de los dedos y esa mirada desde adentro, buscando salir, algo que seguía y seguía, un mensaje de prisionero a través de paredes de piel, su llamada insoportablemente inútil. Por momentos lo ganaba la histeria, la seguridad de que Mecha lo reconocía más que a su madre o a la enfermera, que la pesadilla alcanzaba su peor instante cuando él estaba ahí mirándola, que era mejor irse en seguida puesto que no podía hacer nada, que hablarle era inútil, estúpida, querida, dejate de joder, querés, abrí de una vez los ojos y acabala con ese chiste barato, Mecha idiota, hermanita, hermanita, hasta cuándo nos vas a estar tomando el pelo, loca de mierda, pajarraca, mandá esa comedia al diablo y vení que tengo tanto que contarte, hermanita, no sabés nada de lo que pasa pero lo mismo te lo voy a contar, Mecha, porque no entendés nada te lo voy a contar. Todo pensado como en ráfagas de miedo, de querer aferrarse a Mecha, ni una palabra en voz alta porque la enfermera o doña Luisa no dejaban nunca sola a Mecha, y él ahí necesitando hablarle de tantas cosas, como Mecha a lo mejor estaba hablándole desde su lado, desde los ojos cerrados y los dedos que dibujaban letras inútiles en las sábanas.

Era jueves, no porque supieran ya en qué día estaban ni les importara pero la enfermera lo había mencionado mientras tomaban café en la cocina, el señor Botto se acordó de que había un noticioso especial, y doña Luisa que su hermana de Rosario había telefoneado para decir que vendría el jueves o el viernes. Seguro que los exámenes ya empezaban para Lauro, había salido a las ocho sin despedirse, dejando un papelito en la sala, no estaba seguro de volver para la cena, que no lo esperaran por las dudas. No vino para la cena, la enfermera consiguió por una vez que doña Luisa se fuera temprano a descansar, el señor Botto se había asomado a la ventana de la sala después del telejuego, se oían ráfagas de ametralladora por el lado de Plaza Irlanda, de pronto la calma, casi demasiada, ni siquiera un patrullero, mejor irse a dormir, esa mujer que había contestado a todas las preguntas del telejuego de las diez era un fenómeno, lo que sabía de historia antigua, casi como si estuviera viviendo en la época de Julio César, al final la cultura daba más plata que ser martillero público. Nadie se enteró de que la puerta no iba a abrirse en toda la noche, que Lauro no estaba de vuelta en su pieza, por la mañana pensaron que descansaba todavía después de algún examen o que estudiaba antes del desayuno, solamente a las diez se dieron cuenta de que no estaba. «No te hagás problema», dijo el señor Botto, «seguro que se quedó festejando algo con los amigos». Para doña Luisa era la hora de ayudarla a la enfermera a lavar y cambiar a Mecha, el agua templada y la colonia, algodones y sábanas, ya mediodía y Lauro, pero es raro, Eduardo, cómo no telefoneó por lo menos, nunca hizo eso, la vez de la fiesta de fin de curso llamó a las nueve, te acordás, tenía miedo de que nos preocupáramos y eso que era más chico. «El pibe andará loco con los exámenes», dijo el señor Botto, «vas a ver que llega de un momento a otro, siempre aparece para el noticioso de la una». Pero Lauro no estaba a la una, perdiéndose las noticias deportivas y el flash sobre otro atentado subversivo frustrado por la rápida intervención de las fuerzas del orden, nada nuevo, temperatura en paulatino descenso, lluvias en la zona cordillerana.

Era más de las siete cuando la enfermera vino a buscar a doña Luisa que seguía telefoneando a los conocidos, el señor Botto esperaba que un comisario amigo lo llamara para ver si se había sabido algo, a cada minuto le pedía a doña Luisa que dejara la línea libre pero ella seguía buscando en el carnet y llamando a gente conocida, capaz que Lauro se había quedado en casa del tío Fernando o estaba de vuelta en la facultad para otro examen. «Dejá quieto el teléfono, por favor», pidió una vez más el señor Botto, «no te das cuenta de que a lo mejor el pibe está llamando justamente ahora y todo el tiempo le da ocupado, qué querés que haga desde un teléfono público, cuando no están rotos hay que dejarle el turno a los demás». La enfermera insistía y doña Luisa fue a ver a Mecha, de repente había empezado a mover la cabeza, cada tanto la giraba lentamente a un lado y al otro, había que arreglarle el pelo que le caía por la frente. Avisar en seguida al doctor Raimondi, difícil ubicarlo a fin de tarde pero a las nueve su mujer telefoneó para decir que llegaría en seguida. «Va a ser difícil que pase», dijo la enfermera que volvía de la farmacia con una caja de inyecciones, «cerraron todo el barrio no se sabe por qué, oigan las sirenas». Apartándose apenas de Mecha que seguía moviendo la cabeza como en una lenta negativa obstinada, doña Luisa llamó al señor Botto, no, nadie sabía nada, seguro que el pibe tampoco podía pasar pero a Raimondi lo dejarían por la chapa de médico.

—No es eso, Eduardo, no es eso, seguro que le ha ocurrido algo, no puede ser que a esta hora sigamos sin saber nada, Lauro siempre...

—Mirá, Luisa —dijo el señor Botto—, fijate cómo mueve, la mano y también el brazo, primera vez que mueve el brazo, Luisa, a lo mejor...

—Pero si es peor que antes, Eduardo, no te das cuenta de que sigue con las alucinaciones, que se está como defendiendo de... Hágale algo, Rosa, no la deje así, yo voy a llamar a los Romero que a lo mejor tienen noticias, la chica estudiaba con Lauro, por favor póngale una inyección, Rosa, ya vuelvo, o mejor llamá vos, Eduardo, preguntales, andá en seguida.

En la sala el señor Botto empezó a discar y se paró, colgó el tubo. Capaz que justamente Lauro, qué iban a saber los Romero de Lauro, mejor esperar otro poco. Raimondi no llegaba, lo habrían atajado en la esquina, estaría dando explicaciones, Rosa no podía darle otra inyección a Mecha, era un calmante demasiado fuerte, mejor esperar hasta que llegara el doctor. Inclinada sobre Mecha, apartándole el pelo que le tapaba los ojos inútiles, doña Luisa empezó a tambalearse, Rosa tuvo el tiempo justo para acercarle una silla, ayudarla a sentarse como un peso muerto. La sirena crecía viniendo del lado de Gaona cuando Mecha abrió los párpados, los ojos velados por la tela que se había ido depositando durante semanas se fijaron en un punto del cielo raso, derivaron lentamente hasta la cara de doña Luisa que gritaba, que se apretaba el pecho con las manos y gritaba. Rosa luchó por alejarla, llamando desesperada al señor Botto que ahora llegaba y se quedaba inmóvil a los pies de la cama mirando a Mecha, todo como concentrado en los ojos de Mecha que pasaban poco a poco de doña Luisa al señor Botto, de la enfermera al cielo raso, las manos de Mecha subiendo lentamente por la cintura, resbalando para juntarse en lo alto, el cuerpo estremeciéndose en un espasmo porque acaso sus oídos escuchaban ahora la multiplicación de las sirenas, los golpes en la puerta que hacían temblar la casa, los gritos de mando y el crujido de la madera astillándose después de la ráfaga de ametralladora, los alaridos de doña Luisa, el envión de los cuerpos entrando en montón, todo como a tiempo para el despertar de Mecha, todo tan a tiempo para que terminara la pesadilla y Mecha pudiera volver por fin a la realidad, a la hermosa vida.

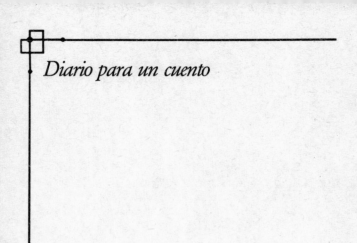

Diario para un cuento

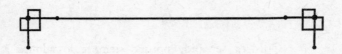

2 de febrero, 1982.

A veces, cuando me va ganando como una cosquilla de cuento, ese sigiloso y creciente emplazamiento que me acerca poco a poco y rezongando a esta Olympia Traveller de Luxe

> (de luxe no tiene nada la pobre, pero en cambio ha traveleado por los siete profundos mares azules aguantándose cuanto golpe directo o indirecto puede recibir una portátil metida en una valija entre pantalones, botellas de ron y libros),

así a veces, cuando cae la noche y pongo una hoja en blanco en el rodillo y enciendo un Gitane y me trato de estúpido,

> (¿para qué un cuento, al fin y al cabo, por qué no abrir un libro de otro cuentista, o escuchar uno de mis discos?),

pero a veces, cuando ya no puedo hacer otra cosa que empezar un cuento como quisiera empezar éste, justamente entonces me gustaría ser Adolfo Bioy Casares.

Quisiera ser Bioy porque siempre lo admiré como escritor y lo estimé como persona, aunque nuestras timideces respectivas no ayudaron a que llegáramos a ser amigos, aparte de otras razones de peso, entre ellas un océano temprana y literalmente tendido entre los dos. Sacando la cuenta lo mejor posible creo que Bioy y yo sólo nos hemos visto tres veces en esta vida. La primera en un banquete de la Cámara Argentina del Libro, al que tuve que asistir porque en los años cuarenta yo era el gerente de esa asociación, y en cuanto a él vaya a saber por qué, y en el curso del cual nos presentamos por encima de una fuente de ravioles, nos sonreímos con simpatía, y nuestra conversación se redujo a que en algún momento él me pidió que le pasara el salero. La segunda vez Bioy vino a mi casa en París y me sacó unas fotos cuya razón de ser se me escapa aunque no así el buen rato que pasamos hablando de Conrad, creo. La última vez fue simétrica y en Buenos Aires, yo fui a cenar a su casa y esa noche hablamos sobre todo de vampiros. Desde luego en ninguna de las tres ocasiones hablamos de Anabel, pero no es por eso que ahora quisiera ser Bioy sino porque me gustaría tanto poder escribir sobre Anabel como lo hubiera hecho él si la hubiera conocido y si hubiera escrito un cuento sobre ella. En ese caso Bioy hubiera hablado de Anabel como yo seré incapaz de hacerlo, mostrándola desde cerca y hondo y a la vez guardando esa distancia, ese desasimiento que decide poner (no puedo pensar que no sea una decisión) entre algunos de sus personajes y el narrador. A mí me va a ser imposible, y no porque haya conocido a Anabel puesto que cuando invento personajes tampoco consigo distanciarme de ellos aunque a veces me parezca tan necesario como al pintor que se aleja del caballete para abrazar mejor la totalidad de su imagen y saber dónde debe dar las pinceladas definitorias. Me será imposible porque siento que Anabel me va a invadir de entrada como cuando la conocí en Buenos Aires al final de los años cuarenta, y aunque ella sería incapaz de imaginar este cuento —si vive, si todavía anda por ahí, vieja como yo—, lo mismo va a hacer todo lo necesario para impedirme que lo escriba como me hubiera gustado, quiero decir un poco como hubiera sabido escribirlo Bioy si hubiera conocido a Anabel.

3 de febrero.

¿Por eso estas notas evasivas, estas vueltas del perro alrededor del tronco? Si Bioy pudiera leerlas se divertiría bastante, y nomás que para hacerme rabiar uniría en una cita literaria las referencias de tiempo, lugar y nombre que según él la justificarían. Y así, en su perfecto inglés,

It was many and many years ago,
In a kingdom by the sea,
That a maiden there lived whom you may know
By the name of Annabel Lee.

—Bueno —hubiera dicho yo—, empecemos porque era una república y no un reino en ese tiempo, pero además Anabel escribía su nombre con una sola ene, sin contar que *many and many years ago* había dejado de ser una *maiden,* no por culpa de Edgar Allan Poe sino de un viajante de comercio de Trenque Lauquen que la desfloró a los trece años. Sin hablar de que además se llamaba Flores y no Lee, y que hubiera dicho desvirgar en vez de la otra palabra de la que desde luego no tenía idea.

4 de febrero.

Curioso que ayer no pude seguir escribiendo (me refiero a la historia del viajante de comercio), quizá precisamente porque sentí la tentación de hacerlo y ahí nomás Anabel, su manera de contármelo. ¿Cómo hablar de Anabel sin imitarla, es decir sin falsearla? Sé que es inútil, que si entro en esto tendré que someterme a su ley, y que me falta el juego de piernas y la noción de distancia de Bioy para mantenerme lejos y marcar puntos sin dar demasiado la cara. Por eso juego estúpidamente con la idea de escribir todo lo que no es de veras el cuento (de escribir todo lo que no sería Anabel, claro), y por eso el lujo de Poe y las vueltas en redondo, como ahora las ganas de traducir ese fragmento de Jacques Derrida que encontré anoche en *La vérité en peinture* y que no tiene absolutamente nada que ver con todo esto pero que se le aplica lo mismo en una inexplicable relación analógica, como esas piedras semipreciosas cuyas facetas revelan paisajes identificables, castillos o ciudades o montañas reconocibles. El fragmento es de difícil comprensión, como se acostumbra *chez* Derrida, y lo traduzco un poco a la que te criaste (pero él también escribe así, sólo que parece que lo criaron mejor):

«no (me) queda casi nada: ni la cosa, ni su existencia, ni la mía, ni el puro objeto ni el puro sujeto, ningún interés de ninguna naturaleza por nada. Y sin embargo amo: no, es todavía demasiado, es todavía interesarse sin duda en la existencia. No amo pero me complazco en eso que no me interesa, por lo menos en eso que es igual que ame o no. Ese placer que tomo, no lo tomo, antes bien lo devolvería, yo devuelvo lo que tomo, recibo lo que devuelvo, no tomo lo que recibo. Y sin embargo me lo doy. ¿Puedo decir que me lo doy? Es tan universalmente subjetivo —en la pretensión de mi juicio y del sentido común— que sólo puede venir de un puro afuera. Inasimilable. En último término, este placer que me doy o al cual más bien me doy, por el cual me doy, ni siquiera lo experimento, si experimentar quiere decir sentir: fenomenalmente, empíricamente, en el espacio y en el tiempo de mi existencia interesada o interesante. Placer cuya experiencia es imposible. No lo tomo, no lo recibo, no lo devuelvo, no lo doy, no me lo doy jamás porque *yo* (yo, sujeto existente) no tengo jamás acceso a lo bello en tanto que tal. En tanto que existo no tengo jamás placer puro.»

Derrida está hablando de alguien que enfrenta algo que le parece bello, y de ahí sale todo eso; yo enfrento una nada, que es este cuento no escrito, un hueco de cuento, un embudo de cuento, y de una manera que me sería imposible comprender siento que eso es Anabel, quiero decir que hay Anabel aunque no haya cuento. Y el placer reside en eso, aunque no sea un placer y se parezca a algo como una sed de sal, como un deseo de renunciar a toda escritura mientras escribo (entre tantas otras cosas porque no soy Bioy y no conseguiré nunca hablar de Anabel como creo que debería hacerlo).

Por la noche.

Releo el pasaje de Derrida, verifico que no tiene nada que ver con mi estado de ánimo e incluso mis intenciones; la analogía existe de otra manera, parecería estar entre la noción de belleza que propone ese pasaje y mi sentimiento de Anabel; en los dos casos hay un rechazo a todo acceso, a todo puente, y si el que habla en el pasaje de Derrida no tiene jamás ingreso en lo bello en tanto que tal, yo que hablo en mi nombre (error que no hubiera cometido nunca Bioy), sé penosamente que jamás tuve y jamás tendré acceso a Anabel como Anabel, y que escribir ahora un cuento sobre ella, un cuento de alguna manera *de* ella, es imposible. Y así al final de la analogía vuelvo a sentir su principio, la iniciación del pasaje de Derrida que leí anoche y me cayó como una prolongación exasperante de lo que estaba sintiendo aquí frente a la Olympia, frente a la ausencia del cuento, frente a la nostalgia de la eficacia de Bioy. Justo al principio: «No (me) queda casi nada: ni la cosa, ni su existencia, ni la mía, ni el puro objeto ni el puro sujeto, ningún interés de ninguna naturaleza por nada.» El mismo enfrentamiento desesperado contra una nada desplegándose en una serie de subnadas, de negativas del discurso; porque hoy, después de tantos años, no me queda ni Anabel, ni la existencia de Anabel, ni mi existencia con relación a la suya, ni el puro objeto de Anabel, ni mi puro sujeto de entonces frente a Anabel en la pieza de la calle Reconquista, ni ningún interés de ninguna naturaleza por nada, puesto que todo eso se fue consumando *many and many years ago,* en un país que es hoy mi fantasma o yo el suyo, en un tiempo que hoy es como la ceniza de estos Gitanes acumulándose día a día hasta que madame Perrin venga a limpiarme el departamento.

6 de febrero.

Esta foto de Anabel, puesta como señalador en nada menos que una novela de Onetti y que reapareció por mera acción de la gravedad en una mudanza de hace dos años, sacar una brazada de libros viejos de la estantería y ver asomar la foto, tardar en reconocer a Anabel.

Creo que se le parece bastante aunque le extraño el peinado, cuando vino por primera vez a mi oficina llevaba el pelo recogido, me acuerdo por puro coágulo de sensaciones que yo estaba metido hasta las orejas en la traducción de una patente industrial. De todos los trabajos que me tocaba aceptar, y en realidad tenía que aceptarlos todos mientras fueran traducciones, los peores eran las patentes, había que pasarse horas trasvasando la explicación detallada de un perfeccionamiento en una máquina eléctrica de coser o en las turbinas de los barcos, y desde luego yo no entendía absolutamente nada de la explicación y casi nada del vocabulario técnico, de modo que avanzaba palabra a palabra cuidando de no saltarme un renglón pero sin la menor idea de lo que podía ser un árbol helicoidal hidro-vibrante que respondía magnéticamente a los tensores l, l' y l'' (dibujo 14). Seguro que Anabel había golpeado en la puerta y no la oí, cuando levanté los ojos estaba al lado de mi escritorio y lo que más se veía de ella era la cartera de hule brillante y unos zapatos que no tenían nada que ver con las once de la mañana de un día hábil en Buenos Aires.

Por la tarde.

¿Estoy escribiendo el cuento o siguen los aprontes para probablemente nada? Viejísima, nebulosa madeja con tantas puntas, puedo tirar de cualquiera sin saber lo que va a dar; la de esta mañana tenía un aire cronológico, la primera visita de Anabel. Seguir o no seguir esas hebras: me aburre lo consecutivo pero tampoco me gustan los *flashbacks* gratuitos que complican tanto cuento y tanta película. Si vienen por su cuenta, de acuerdo; al fin y al cabo quién sabe lo que es realmente el tiempo; pero nunca decidirlos como plan de trabajo. De la foto de Anabel tendría que haber hablado después de otras cosas que le dieran más sentido, aunque tal vez por algo asomó así, como ahora el recuerdo del papel que una tarde encontré clavado con un alfiler en la puerta de la oficina, ya nos conocíamos bien y aunque profesionalmente el mensaje podía perjudicarme ante los clientes respetables, me hizo una gracia infinita leer NO ESTAS, DESGRACIADO, VUELVO A LA TARDE (las comas las agrego yo, y no debería hacerlo pero esa es la educación). Al final ni siquiera vino, porque a la tarde empezaba su trabajo del que nunca tuve una idea detallada pero que en conjunto era lo que los diarios llamaban el ejercicio de la prostitución. Ese ejercicio cambiaba bastante rápidamente para Anabel en la época en que alcancé a hacerme una idea de su vida, casi no pasaba una semana sin que por ahí me soltara una mañana no nos vemos porque en el *Fénix* necesitan una copera por una semana y pagan bien, o me dijera entre dos suspiros y una mala palabra que el yiro andaba flojo y que iba a tener que meterse unos días en lo de la Chempe para poder pagar la pieza a fin de mes.

La verdad es que nada parecía durarle a Anabel (y a las otras chicas), ni siquiera la correspondencia con los marineros, me había bastado un poco de práctica en el oficio para calcular que el promedio en casi todos los casos era de dos o tres cartas, cuatro con suerte, y verificar que el marinero se cansaba o se olvidaba pronto de ellas o viceversa, aparte de que mis traducciones debían de carecer de suficiente líbido o arrastre sentimental y los marineros por su lado no eran lo que se llama hombres de pluma, de modo que todo se acababa rápido. Qué mal estoy explicando todo esto, también a mí me cansa escribir, echar palabras como perros buscando a Anabel, creyendo por momento que van a traérmela tal como era, tal como éramos *many and many years ago*.

8 de febrero.

Lo que es peor, me cansa releer para encontrar una hilación, y además esto no es el cuento, de manera que entonces Anabel entró aquella mañana en mi oficina de San Martín casi esquina Corrientes, y me acuerdo más de la cartera de hule y los zapatos con plataforma de corcho que de su cara ese día (es cierto que las caras de la primera vez no tienen nada que ver con la que está esperando en el tiempo y la costumbre). Yo trabajaba en el viejo escritorio que había heredado un año antes junto con toda la vejez de la oficina y que todavía no me sentía con ánimos de renovar, y estaba llegando a una parte especialmente abstrusa de la patente, avanzando frase a frase rodeado de diccionarios técnicos y una sensación de estarlos estafando a Marval y O'Donnell que me pagaban las traducciones. Anabel fue como la entrada transtornante de

148

una gata siamesa en una sala de computadoras, y se hubiera dicho que lo sabía porque me miró casi con lástima antes de decirme que su amiga Marucha le había dado mi dirección. Le pedí que se sentara, y por puro chiqué seguí traduciendo una frase en la que una calandria de calibre intermedio establecía una misteriosa confraternidad con un cárter antimagnético blindado X^2. Entonces ella sacó un cigarrillo rubio y yo uno negro, y aunque me bastaba el nombre de Marucha para que todo estuviera claro, lo mismo la dejé hablar.

9 de febrero.

Resistencia a construir un diálogo que tendría más de invención que de otra cosa. Me acuerdo sobre todo de los clisés de Anabel, de su manera de decirme «joven» o «señor» alternadamente, de decir «una suposición», o dejar caer un «ah, si le cuento». De fumar también por clisé, soltando el humo de un solo golpe casi antes de haberlo absorbido. Me traía una carta de un tal William, fechada en Tampico un mes antes, que le traduje en voz alta antes de ponérsela por escrito como me lo pidió en seguida. «Por si se me olvida algo», dijo Anabel, sacando cinco pesos para pagarme. Le dije que no valía la pena, mi ex socio había fijado esa tarifa absurda en los tiempos en que trabajaba solo y había empezado a traducirles a las minas del bajo las cartas de sus marineros y lo que ellas les contestaban. Yo le había dicho: «¿Por qué les cobra tan poco? O más o nada sería mejor, total no es su trabajo, usted lo hace por bondad.» Me explicó que ya estaba demasiado viejo como para resistir al deseo de acostarse de cuando en cuando con alguna de ellas, y que por eso aceptaba traducirles las cartas para tenerlas

más a tiro, pero que si no les hubiera cobrado ese
precio simbólico se habrían convertido todas en unas
madame de Sevigné y eso ni hablar. Después mi socio
se fue del país y yo heredé la mercadería, mantenién-
dola dentro de las mismas líneas por inercia. Todo
iba muy bien, Marucha y las otras (había cuatro entonces) me juraron que no le pasarían el santo a
ninguna más, y el promedio era de dos por mes, con
carta a leerles en español y carta a escribirles en
inglés (más raramente en francés). Entonces por lo
visto a Marucha se le olvidó el juramento, y balan-
ceando su absurda cartera de hule reluciente entró
Anabel.

10 de febrero.

Esos tiempos: el peronismo ensordeciéndome
a puro altoparlante en el centro, el gallego portero
llegando a mi oficina con una foto de Evita y pidiéndome de manera nada amable que tuviera la
amabilidad de fijarla en la pared (traía las cuatro
chinches para que no hubiera pretextos). Walter Gie-
seking daba una serie de admirables recitales en el
Colón, y José María Gatica caía como una bolsa de
papas en un ring de Estados Unidos. En mis ratos
libres yo traducía *Vida y cartas de John Keats,* de
Lord Houghton; en los todavía más libres pasaba
buenos ratos en *La Fragata,* casi enfrente de mi oficina, con amigos abogados a quienes también les gustaba el Demaría bien batido. A veces Susana—

Es que no es fácil seguir, me voy hundiendo
en recuerdos y a la vez queriendo huirles, exorcisarlos
escribiéndolos (pero entonces hay que asumirlos de
lleno y ésa es la cosa). Pretender contar desde la

niebla, desde cosas deshilachadas por el tiempo (y qué irrisión ver con tanta claridad la cartera negra de Anabel, oir nítidamente su «gracias, joven», cuando le terminé la carta para William y le di el vuelto de diez pesos). Sólo ahora sé de veras lo que pasa, y es que nunca supe gran cosa de lo que había pasado, quiero decir las razones profundas de ese tango barato que empezó con Anabel, desde Anabel. Cómo entender de veras esa anécdota de milonga en la que había una muerte de por medio y nada menos que un frasco de veneno, no era a un traductor público con oficina y chapa de bronce en la puerta a quien Anabel le iba a decir toda la verdad, suponiendo que la supiera. Como con tantas otras cosas en ese tiempo, me manejé entre abstracciones, y ahora al final del camino me pregunto cómo pude vivir en esa superficie bajo la cual resbalaban y se mordían las criaturas de la noche porteña, los grandes peces de ese río turbio que yo y tantos otros ignorábamos. Absurdo que ahora quiera contar algo que no fui capaz de conocer bien mientras estaba sucediendo, como en una parodia de Proust pretendo entrar en el recuerdo como no entré en la vida para al fin vivirla de veras. Pienso que lo hago por Anabel, finalmente quisiera escribir un cuento capaz de mostrármela de nuevo, algo en que ella misma se viera como no creo que se haya visto en ese entonces, porque también Anabel se movía en el aire espeso y sucio de un Buenos Aires que la contenía y a la vez la rechazaba como a una sobra marginal, lumpen de puerto y pieza de mala muerte dando a un corredor al que daban tantas piezas de tantos otros lumpens, donde se oían tantos tangos al mismo tiempo mezclándose con broncas, quejidos, a veces risas, claro que a veces risas cuando Anabel y Marucha se contaban chistes o porquerías entre dos mates o una cerveza nunca lo bastante fría.

Poder arrancar a Anabel de esa imagen confusa y manchada que me queda de ella, como a veces las cartas de William le llegaban confusas y manchadas y ella me las ponía en la mano como si me alcanzara un pañuelo sucio.

11 de febrero.

Entonces esa mañana me enteré de que el carguero de William había estado una semana en Buenos Aires y que ahora llegaba la primera carta de William desde Tampico acompañando el clásico paquete con los regalos prometidos, slips de nilón, una pulsera fosforescente y un frasquito de perfume. Nunca había muchas diferencias en las cartas de los amigos de las chicas y sus regalos, ellas pedían sobre todo ropas de nilón que en esa época era difícil conseguir en Buenos Aires, y ellos mandaban los regalos con mensajes casi siempre románticos en los que por ahí irrumpían referencias tan concretas que se me hacía difícil traducírselas en voz alta a las chicas que, por supuesto, me dictaban cartas o me daban borradores llenos de nostalgias, noches de baile y pedidos de medias cristal y blusas color tango. Con Anabel era lo mismo, apenas acabé de traducirle la carta de William se puso a dictarme la respuesta, pero yo conocía esa clientela y le pedí que me indicara solamente los temas, de la redacción me ocuparía más tarde. Anabel se me quedó mirando, sorprendida.

—Es el sentimiento —dijo—. Tiene que poner mucho sentimiento.

—Por supuesto, quédese tranquila y dígame lo que tengo que contestar.

Fue el nimio catálogo de siempre, acuse de recibo, ella estaba bien pero cansada, cuándo volvía

William, que le escribiera por lo menos una postal desde cada puerto, que le dijera a un tal Perry que no se olvidara de mandar la foto que les había sacado juntos en la costanera. Ah, y que le dijera que lo de la Dolly seguía igual.

—Si no me explica un poco esto... —empecé.

—Dígale nomás así, que lo de la Dolly sigue lo mismo. Y al final dígale, bueno, ya sabe, que sea con sentimiento, si me entiende.

—Claro, no se preocupe.

Quedó en pasar al otro día y cuando vino firmó la carta después de mirarla un momento, se la veía capaz de entender bastantes palabras, se detenía algo en uno que otro párrafo, después firmó y me mostró un papelito donde William había puesto fechas y puertos. Decidimos que lo mejor era mandarle la carta a Oakland, y ya para entonces se había roto el hielo y Anabel me aceptaba el primer cigarrillo y me miraba escribir el sobre, apoyada en el borde del escritorio y canturreando alguna cosa. Una semana después me trajo un borrador para que yo le escribiera urgente a William, parecía ansiosa y me pidió que le hiciera en seguida la carta, pero yo estaba tapado de partidas de nacimiento italianas y le prometí escribirla esa tarde, firmarla por ella y despacharla al salir de la oficina. Me miró como dudando, pero después dijo bueno y se fue. A la mañana siguiente se apareció a las once y media para estar segura de que yo había mandado la carta. Fue entonces cuando la besé por primera vez y quedamos en que iría a su casa al salir del trabajo.

12 de febrero.

No era que me gustaran particularmente las chicas del bajo en ese entonces, me movía en el cómodo pequeño mundo de una relación estable con alguien a quien llamaré Susana y calificaré de kinesióloga, solamente que a veces ese mundo me resultaba demasiado pequeño y demasiado confortable, entonces había como una urgencia de sumersión, una vuelta a tiempos adolescentes con caminatas solitarias por los barrios del sur, copas y elecciones caprichosas, breves interludios quizá más estéticos que eróticos, un poco como la escritura de este párrafo que releo y que debería tachar pero que guardaré porque así ocurrían las cosas, eso que he llamado sumersión, ese encanallamiento objetivamente innecesario puesto que Susana, puesto que T. S. Eliot, puesto que Wilhelm Backhaus, y sin embargo, sin embargo.

13 de febrero.

Ayer me encabroné contra mí mismo, es divertido pensarlo ahora. De todas maneras lo sabía desde el comienzo, Anabel no me dejará escribir el cuento porque en primer lugar no será un cuento y luego porque Anabel hará (como lo hizo entonces sin saberlo, pobrecita), todo lo que pueda por dejarme solo delante de un espejo. Me basta releer este diario para sentir que ella no es más que una catalizadora que busca arrastrarme al fondo mismo de cada página que por eso no escribo, al centro del espejo donde hubiera querido verla a ella y en cambio aparece un traductor público nacional debidamente diplomado, con su Susana previsible y hasta cacofónica, sususana, por qué no la habré llamado Amalia o Berta. Problemas de escritura, no cualquier nombre se presta a... (¿Vas a seguir?).

Por la noche.

De la pieza de Anabel en Reconquista al quinientos preferiría no acordarme, sobre todo quizá porque sin que ella pudiese saberlo esa pieza quedaba muy cerca de mi departamento en un piso doce y con ventanas dando a una espléndida vista del río color de león. Me acuerdo (increíble que me acuerde de cosas así) que al citarme con ella estuve tentado de decirle que mejor viniera a mi bulín donde tendríamos whisky bien helado y una cama como a mí me gustan, y que me contuvo la idea de que Fermín el portero con más ojos que Argos la viera entrar o salir del ascensor y mi crédito con él se viniese abajo, él que saludaba casi conmovido a Susana cuando nos veía salir o llegar juntos, él que sabía distinguir en materia de maquillajes, tacos de zapatos y carteras. Me arrepentí apenas empecé a subir la escalera, y estuve a punto de dar media vuelta cuando salí al corredor al que daban no sé cuántas piezas, victrolas y perfumes. Pero ya Anabel me estaba sonriendo desde la puerta de su cuarto, y además había whisky aunque no estuviera helado, había las obligatorias muñecas pero también una reproducción de un cuadro de Quinquela Martín. La ceremonia se cumplió sin apuro, bebimos sentados en el sofá y Anabel quiso saber cuándo había conocido a Marucha y se interesó por mi antiguo socio del que las otras minas le habían hablado. Cuando le puse una mano en el muslo y la besé en la oreja, me sonrió con naturalidad y se levantó para retirar el cobertor rosa de la cama. Su sonrisa al despedirnos, cuando dejé unos billetes debajo de un cenicero, siguió siendo la misma, una aceptación desapegada que me conmovió por lo sincera, otros hubieran dicho que por lo profesional. Sé que me fui sin hablarle como había pensado hacerlo

de su última carta a William, qué me importaban los
líos al fin y al cabo, también yo podía sonreírle como
ella me había sonreído, también yo era un profesional.

Inocencia de Anabel, como ese dibujo que
hizo un día en mi oficina mientras yo la tenía esperando por culpa de una traducción urgente, y que
debe andar perdido dentro de algún libro hasta que
tal vez asome como su foto en una mudanza o una
relectura. Dibujo con casitas suburbanas y dos o
tres gallinas picoteando en la vereda. ¿Pero quién
habla de inocencia? Fácil tildar a Anabel por esa
ignorancia que la llevaba como resbalando de una
cosa a otra; de golpe, debajo, tangible tantas veces
en la mirada o en las decisiones, la entrevisión de
algo que se me escapaba, de eso que la misma Anabel
llamaba un poco dramáticamente «la vida», y que
para mí era un territorio vedado que sólo la imaginación o Roberto Arlt podían darme vicariamente.
(Me estoy acordando de Hardoy, un abogado amigo,
que a veces se metía en turbios episodios suburbanos
por mera nostalgia de algo que en el fondo sabía imposible, y de donde volvía sin haber participado de
veras, mero testigo como yo testigo de Anabel. Sí, los
verdaderos inocentes éramos los de corbata y tres
idiomas; en todo caso Hardoy como buen abogado
apreciaba su función de testigo presencial, la veía casi
como una misión. Pero no es él sino yo quien quisiera escribir este cuento sobre Anabel).

No le llamaré intimidad, para eso hubiera
tenido que ser capaz de darle a Anabel lo que ella

me daba tan naturalmente, hacerla subir a mi casa por ejemplo, crear una paridad aceptable aunque siguiera teniendo con ella una relación tarifada entre cliente regular y mujer de la vida. En ese entonces no pensé como lo estoy pensando ahora que Anabel no me reprochó nunca que la mantuviera estrictamente al borde; debía parecerle la ley del juego, algo que no excluía una amistad suficiente como para llenar con risas y bromas los huecos fuera de la cama, que son siempre los peores. Mi vida la tenía perfectamente sin cuidado a Anabel, sus raras preguntas eran del género de: «¿Vos tuviste un perrito de chico?», o: «¿Siempre te cortaste el pelo tan corto?». Yo ya estaba bastante al tanto de lo de la Dolly y de Marucha, de cualquier cosa en la vida de Anabel, mientras ella seguía sin saber y sin importársele que yo tuviera una hermana o un primo, barítono este último. A Marucha la conocía de antes por lo de las cartas, y a veces en el café de Cochabamba me encontraba con ella y con Anabel para tomar cerveza (importada). Por una de las cartas a William me había enterado de las broncas entre Marucha y la Dolly, pero lo que llamaré el asunto del frasquito no se puso serio hasta bastante después, al principio era para reirse de tanta inocencia (¿he hablado de la inocencia de Anabel? Me aburre releer este diario que me está ayudando cada vez menos a escribir el cuento), porque Anabel que era carne y uña con Marucha le había contado a William que la Dolly le seguía sacando los mejores puntos a Marucha, tipos de guita y hasta uno que era hijo de un comisario como en el tango, le hacía la vida imposible en lo de la Chempe y visiblemente aprovechaba que a Marucha se le estaba cayendo un poco el pelo, que tenía problemas de incisivos y que en la cama, etcétera. Todo eso Marucha se lo lloraba a Anabel, a mí menos porque tal vez no me tenía tanta confianza, yo era el traductor y gracias, dice que sos fenómeno, me confiaba Anabel, vos le interpretás todo tan bien, el cocinero de ese buque francés hasta le manda más regalitos que antes, Marucha piensa que debe ser por el sentimiento que ponés.

—¿Y a vos no te mandan más?

—No, che. Seguro que de puro celos escribís angosto.

Decía cosas así, y nos reíamos tanto. Incluso riéndose me contó lo del frasquito que ya una o dos veces había aparecido en el temario para las cartas a William sin que yo hiciera preguntas porque dejarla venir sola era uno de mis placeres. Me acuerdo que me lo contó en su pieza mientras abríamos una botella de whisky después de habernos ganado el derecho al trago.

—Te juro, me quedé dura. Siempre me pareció un poco piantado, a lo mejor porque no le entiendo mucho la parla y eso que al final él siempre se hace entender. Claro, no lo conocés, si le vieras esos ojos que tiene, como un gato amarillo, le queda bien porque es un tipo de pinta, cuando sale se pone unos trajes que si te cuento, aquí nunca se ven géneros así, sintéticos me entendés.

—¿Pero qué te dijo?

—Que cuando vuelva me va a traer un frasquito. Me lo dibujó en la servilleta y arriba puso una calavera y dos huesos cruzados. ¿Me seguís ahora?

—Te sigo, pero no entiendo por qué. ¿Vos le hablaste de la Dolly?

—Claro, la noche que él me vino a buscar cuando llegó el barco, Marucha estaba conmigo, lloraba y devolvía la comida, yo tuve que agarrarla para que no saliera ahí nomás a cortarle la cara a la

Dolly. Fue justo cuando supo que la Dolly le había sacado al viejo de los jueves, andá a saber lo que esa hija de puta le dijo de Marucha, a lo mejor lo del pelo que en una de esas era algo contagioso. Con William le dimos ferné y la acostamos en esta misma cama, se quedó dormida y así pudimos salir a bailar. Yo le conté todo lo de la Dolly, seguro que entendió porque eso sí, me entiende todo, me clava los ojos amarillos y solamente le tengo que repetir algunas cosas.

—Esperá un poco, mejor nos tomamos otro scotch, esta tarde todo ha sido doble —le dije dándole un chirlo, y nos reímos porque ya el primero había estado bien cargadito—. ¿Y vos qué hiciste?

—¿Te creés que soy tan paparula? Que no, claro, le rompí la servilleta a pedacitos para que comprendiera. Pero él dale con el frasquito, que me lo iba a mandar para que Marucha se lo pusiera en un copetín. *In a drink,* dijo. Me dibujó a un cana en otra servilleta y después lo tachó con una cruz, eso quería decir que no sospecharían de nada.

—Perfecto —dije yo—, ese yanqui se cree que aquí los médicos forenses son unos felipones. Hiciste bien, nena, cuantimás que el frasquito ese iba a pasar por tus manos.

—Eso.

(No me acuerdo, cómo podría *acordarme* de ese diálogo. Pero fue así, lo escribo escuchándolo, o lo invento copiándolo, o lo copio inventándolo. Preguntarse de paso si no será eso la literatura).

19 de febrero.

Pero a veces no es así sino algo mucho más sutil. A veces se entra en un sistema de paralelas, de simetrías, y a lo mejor por eso hay momentos y frases y sucesos que se fijan para siempre en una memoria que no tiene demasiados méritos (la mía en todo caso) puesto que olvida tanta cosa más importante.

No, no siempre hay invención o copia. Anoche pensé que tenía que seguir escribiendo todo esto sobre Anabel, que a lo mejor me llevaría al cuento como verdad última, y de golpe fue otra vez la pieza de Reconquista, el calor de febrero o marzo, el riojano con los discos de Alberto Castillo al otro lado del corredor, ese tipo no acababa nunca de despedirse de su famosa pampa, hasta Anabel empezaba a hincharse y eso que ella para la música, *adióóós pááámpa míííá,* y Anabel sentada desnuda en la cama y acordándose de su pampa allá por Trenque Lauquen. Tanto lío que arma ese por la pampa, Anabel despectiva encendiendo un cigarrillo, tanto joder por una mierda llena de vacas. Pero Anabel, yo te creía más patriótica, hijita. Una pura mierda aburrida, che, yo creo que si no vengo a Buenos Aires me tiro a un zanjón. Poco a poco los recuerdos confirmatorios y de golpe, como si le hiciese falta contármelo, la historia del viajante de comercio, casi no había empezado cuando sentí que eso yo ya lo sabía, que eso ya me lo habían contado. La fui dejando hablar como a ella le hacía falta hablarme (a veces el frasquito, ahora el viajante), pero de alguna manera yo no estaba ahí con ella, lo que me estaba contando me venía de otras voces y otros ámbitos con perdón de Capote, me venía de un comedor en el hotel del polvoriento Bolívar, ese pueblo pampeano donde había vivido dos años ya tan lejanos, de esa tertulia de amigos y gente de paso donde se hablaba de todo pero sobre todo de mujeres, de eso que entonces los muchachos llamábamos los elementos y que tanto escaseaban en la vida de los solteros pueblerinos.

Qué claro me acuerdo de aquella noche de verano, con la sobremesa y el café con grapa al pelado Rosatti le volvían cosas de otros tiempos, era un hombre que apreciábamos por el humor y la generosidad, el mismo hombre que después de un cuento más bien subido de Flores Díez o del pesado Salas, se largaba a contarnos de una china ya no muy joven que él visitaba en su rancho por el lado de Casbas donde ella vivía de unas gallinas y una pensión de viuda, criando en la miseria a una hija de trece años.

Rosatti vendía autos nuevos y usados, se llegaba hasta el rancho de la viuda cuando le caía bien en algunas de sus giras, llevaba algunos regalos y se acostaba con la viuda hasta el otro día. Ella estaba encariñada, le cebaba buenos mates, le freía empanadas y según Rosatti no estaba nada mal en la cama. A la Chola la mandaban a dormir al galponcito donde en otros tiempos el finado guardaba un sulky ya vendido; era una chica callada, de ojos escapadizos, que se perdía de vista apenas llegaba Rosatti y a la hora de cenar se sentaba con la cabeza gacha y casi no hablaba. A veces él le llevaba un juguete o caramelos, que ella recibía con un «gracias, don» casi a la fuerza. La tarde en que Rosatti se apareció con más regalos que de costumbre porque esa mañana había vendido un Plymouth y estaba contento, la viuda agarró por el hombro a la Chola y le dijo que aprendiera a darle bien las gracias a don Carlos, que no fuera tan chúcara. Rosatti, riéndose, la disculpó porque le conocía el carácter, pero en ese segundo de confusión de la chica la vio por primera vez, le vio los ojos renegridos y los catorce años que empezaban a levantarle la blusita de algodón. Esa noche en la cama sintió las diferencias y la viuda debió sentirlas también porque lloró y le dijo que él ya no la quería como antes, que seguro iba a olvidarse de ella que ya no le rendía como al principio. Los detalles del arreglo no los supimos nunca, en algún momento la viuda fue a buscar a la Chola y la trajo al rancho a los tirones. Ella misma le arrancó la ropa mientras Rosatti la esperaba en la cama, y como la chica gritaba y se debatía desesperada, la madre le sujetó las piernas y la mantuvo así hasta el final. Me acuerdo que Rosatti bajó un poco la cabeza y dijo, entre avergonzado y desafiante: «Cómo lloraba...». Ninguno de nosotros hizo el menor comentario, el silencio espeso duró hasta que el pesado Salas soltó una de las suyas y todos, y sobre todo Rosatti, empezamos a hablar de otras cosas.

Tampoco yo le hice el menor comentario a Anabel. ¿Qué le podía decir? ¿Que ya conocía cada detalle, salvo que había por lo menos veinte años entre las dos historias, y que el viajante de comercio de Trenque Lauquen no había sido el mismo hombre, ni Anabel la misma mujer? ¿Que todo era siempre más o menos así con las Anabel de este mundo, salvo que a veces se llamaban Chola?

23 de febrero.

Los clientes de Anabel, vagas referencias con algún nombre o alguna anécdota. Encuentros casuales en los cafés del bajo, fijación de una cara, una voz. Por supuesto nada de eso me importaba, supongo que en ese tipo de relaciones compartidas nadie se siente un cliente como los otros, pero además yo podía saberme seguro de mis privilegios, primero por lo de las cartas y también por mí mismo, algo que le gustaba a Anabel y me daba, creo, más espacio que a los

otros, tardes enteras en la pieza, el cine, la milonga
y algo que a lo mejor era cariño, en todo caso ganas
de reirse por cualquier cosa, generosidad nada men-
tida en la manera que tenía Anabel de buscar y dar
el goce. Imposible que fuera así con los otros, los
clientes, y por eso no me importaban (la idea era
que no me importaba Anabel, pero por qué me acuerdo hoy de todo esto), aunque en el fondo hubiera
preferido ser el único, vivir así con Anabel y del otro
lado con Susana, claro. Pero Anabel tenía que ganarse
la vida y de cuando en cuando me llegaba algún indi-
cio concreto, como cruzarme en la esquina con el gordo
—nunca supe ni pregunté su nombre, ella le llamaba
el gordo a secas—, y quedarme viéndolo entrar en la
casa, imaginarlo rehaciendo mi propio itinerario de
esa tarde, peldaño a peldaño hasta la galería y la
pieza de Anabel y todo el resto. Me acuerdo que me
fui a beber un whisky a *La Fragata* y que me leí todas
las noticias del extranjero de *La Razón,* pero por
debajo lo sentía al gordo con Anabel, era idiota pero
lo sentía como si estuviera en mi propia cama, usán-
dola sin derecho.

A lo mejor por eso no fui muy amable con
Anabel cuando se me apareció en la oficina unos
días después. A todas mis clientas epistolares (vuelve
a salir la palabra de una manera bastante curiosa, eh
Siegmund?) les conocía los caprichos y los humores a
la hora de darme o dictarme una carta, y me quedé
impasible cuando Anabel casi me gritó escribile ahora mismo a William que me traiga el frasquito, esa
perra hija de puta no merece vivir. *Du calme,* le dije
(entendía bastante bien el francés), qué es eso de
ponerse así antes del vermú. Pero Anabel estaba
enfurecida y el prólogo a la carta fue que la Dolly
le había vuelto a sacar un punto con auto a Marucha
y andaba diciendo en lo de la Chempe que lo había

hecho para salvarlo de la sífilis. Encendí un cigarrillo como bandera de capitulación y escribí la carta donde absurdamente había que hablar a la vez del frasquito y de unas sandalias plateadas treinta y seis y medio (máximo treinta y siete). Tuve que calcular la conversión a cinco o cinco y medio para no crearle problemas a William, y la carta resultó muy corta y práctica, sin nada del sentimiento que habitualmente reclamaba Anabel aunque ahora lo hiciera cada vez menos por razones obvias. (¿Cómo imaginaba lo que yo podía decirle a William en las despedidas? Ya no me exigía que le leyera las cartas, se iba en seguida pidiéndome que la despachara, no podía saber que yo seguía fiel a su estilo y que le hablaba de nostalgia y cariño a William, no por exceso de bondad sino porque había que prever las respuestas y los regalos, y eso en el fondo debía ser el barómetro más seguro para Anabel).

Esa tarde lo pensé despacio y antes de despachar la carta agregué una hoja separada en la que me presentaba sucintamente a William como el traductor de Anabel, y le pedía que viniera a verme apenas desembarcara y sobre todo antes de verse con Anabel. Cuando lo vi entrar dos semanas después, lo de los ojos amarillos me impresionó más que el aire entre agresivo y cortado del marinero en tierra. No hablamos mucho en el aire, le dije que estaba al tanto de la cuestión del frasquito pero que las cosas no eran tan tremendas como Anabel las pensaba. Virtuosamente me mostré preocupado por la seguridad de Anabel que, en caso de que las papas quemaran, no podría mandarse mudar en un barco como él iba a hacerlo tres días más tarde.

—Bueno, ella me lo pidió —dijo William sin alterarse—. A mí me da pena Marucha, y es la mejor manera de que todo se arregle.

De creerle, el contenido del frasquito no dejaba la menor huella, y eso curiosamente parecía suprimir toda noción de culpabilidad en William. Sentí el peligro y empecé mi trabajo sin forzar la mano. En el fondo los líos con la Dolly no estaban ni mejor ni peor que en su último viaje, claro que Marucha se sentía cada vez más harta y eso caía sobre la pobre Anabel. Yo me interesaba por el asunto porque era el traductor de todas esas chicas y las conocía bien, etc. Saqué el whisky después de colgar un cartel de *ausente* y cerrar con llave la oficina, y empecé a beber y a fumar con William. Lo medí desde la primera vuelta, primario y sensiblero y peligroso. Que yo fuera el traductor de las frases sentimentales de Anabel parecía darme un prestigio casi confesional, en el segundo whisky supe que estaba enamorado de veras de Anabel y que quería sacarla de la vida, llevársela a los States en un par de años cuando arreglara, dijo, unos asuntos pendientes. Imposible no ponerme de su lado, aprobar caballerescamente sus intenciones y apoyarme en ellas para insistir en que lo del frasquito era la peor cosa que podía hacerle a Anabel. Empezó a verlo por ese lado pero no me ocultó que Anabel no le perdonaría que le fallara, que lo trataría de flojo y de hijo de puta, y ésas eran cosas que él no le podía aceptar ni siquiera a Anabel.

Usando como ejemplo el acto de echarle más whisky en el vaso, sugerí el plan en el que me tendría por aliado. El frasquito por supuesto se lo daría a Anabel, pero lleno de té o de coca-cola; por mi parte yo lo tendría al tanto de las novedades con el sistema de las hojitas separadas, para que las cartas de Anabel guardaran todo lo que era de ellos dos solamente, y seguro que entre tanto lo de la Dolly y Marucha se arreglaba por cansancio. Si no era así —en algo había que ceder frente a esos ojos amarillos que se iban poniendo cada vez más fijos—, yo le escribiría para que mandara o trajera el frasquito de veras, y en cuanto a Anabel estaba seguro de que comprendería llegado el caso si yo me declaraba responsable del engaño para bien de todos, etc.

—O.K. —dijo William. Era la primera vez que lo decía, y me pareció menos idiota que cuando se lo escuchaba a mis amigos. Nos dimos la mano en la puerta, me miró amarillo y largo, y dijo: «Gracias por las cartas.» Lo dijo en plural, o sea que pensaba en las cartas de Anabel y no en la sola hoja separada. ¿Por qué esa gratitud tenía que hacerme sentir tan mal, por qué una vez a solas me tomé otro whisky antes de cerrar la oficina y salir a almorzar?

26 de febrero.

Escritores que aprecio han sabido ironizar amablemente sobre el lenguaje de alguien como Anabel. Me divierten mucho, claro, pero en el fondo esas facilidades de la cultura me parecen un poco canallas, yo también podría repetir tantas frases de Anabel o del gallego portero, y hasta por ahí me pasará hacerlo si al final escribo el cuento, no hay nada más fácil. Pero en esos tiempos me dedicaba más bien a comparar mentalmente el habla de Anabel y de Susana, que las desnudaba tanto más profundamente que mis manos, revelaba lo abierto y lo cerrado en ellas, lo estrecho y lo ancho, el tamaño de sus sombras en la vida. Nunca le oí la palabra «democracia» a Anabel, que sin embargo la escuchaba o leía veinte veces por día, y en cambio Susana la usaba con cualquier motivo y siempre con la misma cómoda buena conciencia de propietaria. En materias íntimas Susana podía aludir a su sexo, mientras que Anabel decía la concha o la parpaiola, palabra esta última que siempre me ha fascinado por lo que tiene de ola y de párpado. Y así estoy desde hace diez minutos porque no me decido a seguir con lo que falta (y que no es mucho y no responde demasiado a lo que vagamente esperaba escribir), o sea que en toda esa semana no supe nada de Anabel como era previsible, puesto que estaría todo el tiempo con William, pero un fin de mañana se me apareció con evidentemente parte de los regalos de nilón que le había traído William, y una cartera nueva de piel de no sé qué de Alaska, que en esa temporada hacía subir el calor con sólo mirarla. Vino para contarme que William acababa de irse, lo que no era noticia para mí, y que le había traído la cosa (curiosamente evitaba llamarla frasquito) que ya estaba en manos de Marucha.

No tenía ninguna razón para inquietarme ahora, pero era bueno hacerse el preocupado, saber si Marucha tenía clara conciencia de la barbaridad que eso significaba, etc., y Anabel me explicó que le había hecho jurar por su santa madre y la virgen de Luján que solamente si la Dolly volvía a, etc. De paso le interesó saber lo que yo opinaba de la cartera y las medias cristal, y nos citamos en su casa para la otra semana, porque ella andaba bastante ocupada después de tanto *full-time* con William. Ya se iba, cuando se acordó:

—El es tan bueno, sabés. ¿Te das cuenta esta cartera lo que le habrá costado? Yo no le quería decir nada de vos, pero él me hablaba todo el tiempo de las cartas, dice que vos le transmitís propiamente el sentimiento.

—Ah —comenté, sin saber demasiado por qué la cosa me caía un poco atravesada.

—Mirala, tiene doble cierre de seguridad y
todo. Al final le dije que vos me conocías bien y que
por eso me interpretabas las cartas, total a él qué le
importa si ni siquiera te ha visto.

—Claro, qué le puede importar —alcancé a
decir.

—Me prometió que en el otro viaje me trae
un tocadiscos de esos con radio y todo, ahora sí que
le ponemos la tapa al riojano de adiós pampa mía si
vos me compras discos de Canaro y D'Arienzo.

No había terminado de irse cuando me telefoneó Susana, que por lo visto acababa de entrar en
uno de sus ataques de nomadismo y me invitaba a
irme con ella en su auto a Necochea. Acepté para el
fin de semana, y me quedaron tres días en que no hice
más que pensar, sintiendo poco a poco cómo me subía
algo raro hasta la boca del estómago (¿tiene boca el
estómago?). Lo primero: William no le había hablado a Anabel de sus planes de casamiento, era casi
obvio que la patinada involuntaria de Anabel le había
caído como una patada en la cabeza (y que lo hubiera
disimulado era lo más inquietante). O sea que.

Inútil decirme que a esa altura me estaba dejando llevar por deducciones tipo Dickson Carr o
Ellery Queen, y que al fin y al cabo a un tipo como
William no tenía por qué quitarle el sueño que yo
fuera uno más entre los clientes de Anabel. Pero a la
vez sentía que no era así, que precisamente un tipo
como William podía haber reaccionado de otra manera, con esa mezcla de sensiblería y zarpazo que yo
le había calado desde el vamos. Porque además ahora
venía lo segundo: Enterado de que yo hacía algo más
que traducirle las cartas a Anabel, ¿por qué no
había subido a decírmelo, de buenas o de malas? No
me podía olvidar que me había tenido confianza y
hasta admiración, que de alguna manera se había

confesado con alguien que entre tanto se meaba de
risa de tanta ingenuidad, y eso William tenía que
haberlo sentido y cómo en ese momento en que Anabel se había deschavado. Era tan fácil imaginarlo a
William acostándola de una trompada y viniendo directamente a mi oficina para hacer lo mismo conmigo.
Pero ni lo uno ni lo otro, y eso...

Y eso qué. Me lo dije como quien se toma
un Ecuanil, al fin y al cabo su barco ya andaba lejos
y todo quedaba en hipótesis; el tiempo y las olas de
Necochea las borrarían de a poco, y además Susana
estaba leyendo a Aldous Huxley, lo que daría materia
para temas más bien diferentes, enhorabuena. Yo también me compré nuevos libros en el camino a casa, me
acuerdo que algo de Borges y/o de Bioy.

27 de febrero.

Aunque ya casi nadie se acuerda, a mí me sigue
conmoviendo la forma en que Spandrell espera y re-
cibe la muerte en *Contrapunto*. En los años cuarenta
ese episodio no podía tocar tan de lleno a los lectores
argentinos; hoy sí, pero justamente cuando ya no lo
recuerdan. Yo le sigo siendo fiel a Spandrell (nunca
releí la novela ni la tengo aquí a mano), y aunque se
me hayan borrado los detalles me parece ver de nuevo
la escena en que escucha la grabación de su cuarteto
preferido de Beethoven, sabiendo que el comando fas-
cista se acerca a su casa para asesinarlo, y dando a esa
elección final un peso que vuelve aún más despreci-
bles a sus asesinos. También a Susana le había conmovido ese episodio, aunque sus razones no me parecie-
ron exactamente las mías y acaso las de Huxley; todavía estábamos discutiendo en la terraza del hotel cuando pasó un diariero y le compré *La Razón* y en la

página ocho vi policía investiga muerte misteriosa, vi una foto irreconocible de la Dolly, pero su nombre completo y sus actividades notoriamente públicas, transportada de urgencia al hospital Ramos Mejía sucumbió dos horas más tarde a la acción de un poderoso tóxico. Nos volvemos esta noche, le dije a Susana, total aquí no hace más que lloviznar. Se puso frenética, la oí tratarme de déspota. Se vengó, pensaba dejándola hablar, sintiendo el calambre que me subía de las ingles hasta el estómago, se vengó el muy hijo de puta, lo que estará gozando en su barco, otra que té o cocacola, y esa imbécil de Marucha que va a cantar todo en diez minutos. Como ráfagas de miedo entre cada frase enfurecida de Susana, el whisky doble, el calambre, la valija, puta si va a cantar, se va a venir con todo apenas le aplaudan la cara.

Pero Marucha no cantó, a la tarde siguiente había un papelito de Anabel debajo de la puerta de la oficina, nos vemos a las siete en el café del Negro, estaba muy tranquila y con la cartera de piel, ni se le había ocurrido pensar que Marucha podía meterla en un lío. Lo jurado jurado, pónele la firma, me lo decía con una calma que me hubiera parecido admirable si no hubiese tenido tantas ganas de agarrarla a bife limpio. La confesión de Marucha llenaba media página del diario, y eso precisamente era lo que estaba leyendo Anabel cuando llegué al café. El periodista no iba más allá de las generalidades propias del oficio, la mujer declaró haberse procurado un veneno de efecto fulminante que vertió en una copa de licor, o sea en el cinzano que la Dolly bebía de a litros. La rivalidad entre ambas mujeres había alcanzado su punto culminante, agregaba el concienzudo notero, y su trágico desenlace, etc.

No me parece raro haber olvidado casi todos los detalles de ese encuentro con Anabel. La veo sonreírme, eso sí, la oigo decirme que los abogados probarían que Marucha era una víctima y que saldría en menos de un año; lo que me queda de esa tarde es sobre todo un sentimiento de absurdo total, algo imposible de decir aquí, haberme dado cuenta de que en ese momento Anabel era como un ángel flotando por encima de la realidad, segura de que Marucha había tenido razón (y era cierto, pero no en esa forma) y que a nadie le iba a pasar nada grave. Me hablaba de todo eso y era como si me estuviera contando una radionovela, ajena a ella misma y sobre todo a mí, a las cartas, sobre todo a las cartas que me embarcaban derecho viejo con William y con ella. Me lo decía desde la radionovela, desde esa distancia incalculable entre ella y yo, entre su mundo y mi terror que buscaba cigarrillos y otro whisky, y claro, claro que sí, Marucha es de ley, claro que no va a cantar.

Porque si de algo estaba seguro en ese momento era de que no podía decirle nada al ángel. Cómo mierda hacerle entender que William no se iba a conformar con eso ahora, que seguramente escribiría para perfeccionar su venganza, para denunciarla a Anabel y de paso meterme en el ajo por encubridor. Se me hubiera quedado mirando como perdida, a lo mejor me hubiera mostrado la cartera como una prueba de buena fe, él me la regaló, cómo te vas a imaginar que haga una cosa así, todo el catálogo.

No sé de qué hablamos después, me volví a mi departamento a pensar, y al otro día arreglé con un colega para que se hiciera cargo de la oficina por un par de meses; aunque Anabel no conocía mi departamento me mudé por las dudas a uno que justamente alquilaba Susana en Belgrano y no me moví de ese salubre barrio para evitar un encuentro casual con Anabel en el centro. Hardoy, que tenía toda mi confianza, se dedicó con deleite a espiarla, bañándose en la atmósfera de eso que él llamaba los bajos fondos. Tantas precauciones resultaron inútiles, pero entre tanto me sirvieron para dormir un poco mejor, leer un montón de libros y descubrir nuevas facetas y hasta encantos inesperados en Susana, convencida la pobre de que yo estaba haciendo una cura de reposo y paseándome por todas partes en su auto. Un mes y medio después llegó el barco de William, y esa misma noche supe por Hardoy que Anabel se había encontrado con él y que se habían pasado hasta las tres de la mañana bailando en una milonga de Palermo. Lo único lógico hubiera debido ser el alivio, pero no creo haberlo sentido, fue más bien como que Dickson Carr y Ellery Queen eran una pura mierda y la inteligencia todavía peor que la mierda comparada con esa milonga en la que el ángel se había encontrado con el otro ángel (per modo di dire, claro), para de paso entre tango y tango escupirme en plena cara, ellos de su lado escupiéndome sin verme, sin saber de mí y sobre todo importándoseles un carajo de mí, como el que escupe en una baldosa sin siquiera mirarla. Su ley y su mundo de ángeles, con Marucha y de algún modo también con la Dolly, y yo de este otro lado con el calambre y el Valium y Susana, con Hardoy que me seguía hablando de la milonga sin darse cuenta de que yo había sacado el pañuelo, de que mientras lo escuchaba y le agradecía su amistosa vigilancia me estaba pasando el pañuelo para secarme de alguna manera la escupida en plena cara.

28 de febrero.

Quedan algunos detalles menores: cuando volví a la oficina tenía todo pensado para explicarle convincentemente mi ausencia a Anabel; conocía de sobra su falta de curiosidad, me aceptaría cualquier cosa y ya andaría con alguna nueva carta para traducir, a menos que entre tanto hubiera conseguido otro traductor. Pero Anabel no vino nunca más a mi oficina, por ahí era una promesa que le había hecho a William con juramento y virgen de Luján, o nomás que se había ofendido de veras por mi ausencia, o que la Chempe la tenía demasiado ocupada. Al principio creo que la esperé vagamente, no sé si me hubiera gustado verla entrar, pero en el fondo me ofendía que me estuviera borrando tan fácilmente, quién le iba a traducir las cartas como yo, quién podía conocer a William o a ella mejor que yo. Dos o tres veces, en la mitad de una patente o una partida de nacimiento me quedé con las manos en el aire, esperando que la puerta se abriera y entrara Anabel con zapatos nuevos, pero después llamaban educadamente y era una factura consular o un testamento. Por mi parte seguí evitando los lugares donde hubiera podido encontrármela por la tarde o la noche. Hardoy tampoco la vio más, y en esos meses se me dio el juego de venirme a Europa por un tiempo, y al final me fui quedando, me fui aquerenciando hasta ahora, hasta el pelo canoso, esta diabetes que me acorrala en el departamento, estos recuerdos. La verdad, me hubiera gustado escribirlos, hacer un cuento sobre Anabel y esos tiempos, a lo mejor me hubieran ayudado a sentirme mejor después de escribirlo, a dejar todo en orden, pero ya no creo que vaya a hacerlo, hay este cuaderno lleno de jirones sueltos, estas ganas de ponerme a completarlos, de llenar los huecos y contar otras cosas de Anabel, pero lo que apenas alcanzo a decirme es que me gustaría tanto escribir ese cuento sobre Anabel y al final es una página más en el cuaderno, un día más sin empezar el cuento. Lo malo es que no termino de convencerme de que nunca podré ha-

cerlo porque entre otras cosas no soy capaz de escribir sobre Anabel, no me vale de nada ir juntando
pedazos, que en definitiva no son de Anabel sino de
mí, casi como si Anabel estuviera queriendo escribir
un cuento y se acordara de mí, de cómo no la llevé
nunca a mi casa, de los dos meses en que el pánico me
sacó de su vida, de todo eso que ahora vuelve, aunque
seguramente a Anabel le importó muy poco y solamente yo me acuerdo de algo que es tan poco pero
que vuelve y vuelve desde allá, desde lo que acaso
hubiera tenido que ser de otra manera, como yo y
como casi todo allá y aquí. Ahora que lo pienso, cuánta razón tiene Derrida cuando dice, cuando me dice:
No (me) queda casi nada: ni la cosa, ni su existencia,
ni la mía, ni el puro objeto ni el puro sujeto, ningún
interés de ninguna naturaleza por nada. Ningún interés, de veras, porque buscar a Anabel en el fondo
del tiempo es siempre caerme de nuevo en mí mismo,
y es tan triste escribir sobre mí mismo aunque quiera
seguir imaginándome que escribo sobre Anabel.

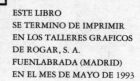

ESTE LIBRO
SE TERMINO DE IMPRIMIR
EN LOS TALLERES GRAFICOS
DE ROGAR, S. A.
FUENLABRADA (MADRID)
EN EL MES DE MAYO DE 1993